JN099895

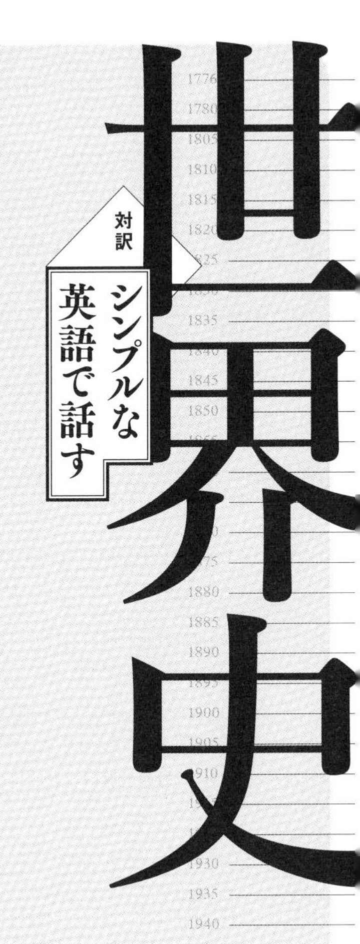

対訳 シンプルな英語で話す

世界史

WORLD HISTORY IN SIMPLE ENGLISH

Written by James M. Vardaman
and Shin Matsuzono

アプリ対応

ジェームス・M・バーダマン／松園 伸 著

Preface

We read history in order to reflect on the past and understand the present. We do it to build a shared base for conversation with other people.

There is little point in learning names, places, and dates and not learning something about why they are important in understanding the world we live in. This selection is not a complete view of the past, but it is hoped that they spark the reader's curiosity and encourage further reading.

It is difficult to get a firm hold on historical events and the people who participate in them. Historians sometimes disagree about who did what, when they did it, and why they did it. We have attempted to make this volume as accurate as possible and take a neutral stance in interpreting context. This book is intended to help you learn English through history, not to provide a definitive account of history.

We have avoided unnecessary and difficult words as much as possible. We do use proper names, some of which are familiar to you, but are not the same in Japanese and English. In addition, we have attempted to keep the English level as simple as possible in terms of both vocabulary and grammar. We want you to enjoy learning and explaining in comparatively simple words.

We sincerely hope that you will enjoy reading and listening to each section and that you will, along the way, add words and phrases to your vocabulary.

James M. Vardaman
Professor Emeritus, Waseda University

はじめに

私たちは、過去を考え、現在を理解するために歴史を読みます。私たちは、ほかの人々との会話の共通の土台を築くためにそうします。

人名や地名や年号を学んでも、私たちが住む世界を理解するためになぜそれらが重要なのかについて、何かを学ぶのでなければ、ほとんど意味がないでしょう。ここで取り上げたものは過去の完全な考察ではありませんが、読者の好奇心に火をつけ、さらに読書を続ける励みとなることが期待されます。

歴史的事件とそれに関わる人々をきちんと把握するのは難しいものです。歴史学者たちはときとして、誰が何を行ったか、いつ行ったか、なぜ行ったかについて、意見を異にします。私たちは、この本をできる限り正確なものにし、内容の解釈について中立的立場を取ろうと努めてきました。本書の意図は、みなさんが歴史を通じて英語を学ぶ一助になるようにというものであり、決定的な歴史解釈を提供することではありません。

私たちは極力、不要な、難しい単語を避けてきました。固有名詞は入っていますが、そのいくつかは、みなさんにお馴染みであっても、日本語と英語で表記が違います。加えて、語彙と文法の両方で、英語のレベルをできる限り易しくしました。みなさんに比較的簡単な言葉で学習と解説を楽しんでほしいと思います。

一つ一つのセクションを読んで聞くのを楽しみ、そのかたわら、自分の語彙に単語や語句を増やしていただきたいと、私たちは心から願っています。

ジェームス・M・バーダマン
早稲田大学名誉教授

Contents
目次

[Chapter 4] Pre-Modern Period in Other Areas: The Ottoman Empire, the East India Companies, and the Ming Dynasty
その他の地域の近世―オスマン帝国／東インド会社／明朝の成立

[Chapter 5] Modern Period: The Industrial Revolution, American Revolution, and Hong Kong's Reversion
近代―産業革命／アメリカ独立革命／香港の返還

カバーデザイン: 寺井恵司
本文デザイン: 大森裕二
校正・DTP組版: 鷗来堂
カバー写真提供: ゲッティ イメージズ
オビ写真: Yoshiaki Miura（The Japan Times）
中面写真提供: p.37 共同通信社
p.131 World History Archive／ニューズコム／共同通信イメージズ
p.161 Reuters

音声収録時間:約185分
ナレーション: Chris Koprowski, Jennifer Okano
録音・編集: ELEC録音スタジオ
◎MP3データには英語のメインテキスト90ユニットが収録されています。

◎本書の章立て、および各ユニットの並びは必ずしも年代順ではなく、出来事の流れやつながりを考慮して構成されています。

◎固有名詞の表記は『新 もういちど読む山川 世界史』（山川出版社、2017）に準じています。

本書の構成

1 英語の本文テキスト…… 英語で歴史について話すための、英語話者に通りのいいシンプルな英語です。90のユニットで世界の歴史の要点をご紹介しています。

＊太字 ………………… 右ページの日本語対訳内で、対応する語が太字になっています。文中での語句の意味合いや、語句の使い方を確認しましょう。

＊色下線 ……………… 右ページ下の語注で解説している語句です。英語や、歴史的な背景知識の補足など、とくに詳しく説明する必要のあったものです。

2 日本語訳 ……………… 対訳です。比較的難易度の高い語句が太字になっています。

3 語注…………………… より難易度の高い語句、歴史的な事柄に対し補足説明をつけています。

1

Orient/Asia 前2700～前1070年

Egypt under the Pharaohs

1

Ancient Egyptian history is divided into three major periods: the Old Kingdom (2700 B.C.-2200 B.C.), the Middle Kingdom (2055 B.C.-1650 B.C.), and the New Kingdom (1550 B.C.-1070 B.C.). These were long periods of **stability** and **development divided** by short periods of political **disorder**.

The rulers of the Old Kingdom came to be called "pharaoh," meaning "great house" or "palace." The pharaoh was a divine being. A government bureaucracy developed to help the pharaohs **administer**. Among their achievements was the building of the three great pyramids at Giza around 2500 B.C. They were tombs for the mummified bodies of the pharaohs but also important symbols of royal power.

The Middle Kingdom began **expansion** into Nubia, south of Egypt. Merchants began trading in distant regions such as Mesopotamia. Engineers drained swampland in the Nile Delta to create **farmland** and **dug a canal** to connect the Nile River with the Red Sea.

After a century of being ruled by **invaders**, a new dynasty of pharaohs reunited Egypt in the New Kingdom. Egypt became the most powerful country in Southwest Asia. The pharaohs of this period led military campaigns into Syria and westward into Libya. They built **magnificent** temples to show the power of their empire. Beginning in the 1200s B.C., however, Egypt **suffered** invasions, and finally in 1070 B.C. the New Kingdom **collapsed**. For a thousand years, Egypt was periodically dominated by outsiders, including Alexander the Great. Cleopatra VII tried to reestablish Egyptian **independence** in the first century B.C. but after her defeat, Egypt became part of Rome's empire. (264)

5

14 Ancient Period

ファラオ時代のエジプト

4 Audio 1

2

古代エジプト史は、古王国(前2700～前2200)、中王国(前2055～前1650)、新王国(前1550～前1070)の3つの時代に大別される。それぞれの王国は長い**安定**と**発展**の期間だったが、どれも短い政治的**混乱**期によって**分割されていた**。

まず古王国の支配者は「大きな家、宮殿」を意味する「ファラオ」と呼ばれており、ファラオは現人神（あらひとがみ）であった。政府の官僚組織は、ファラオの**支配**に役立つよう発展した。ファラオの功績の中には、前2500年頃に造られたギザにある3つの大ピラミッドがある。これらのピラミッドは、ファラオのミイラ化した遺体を納める墓であるばかりではなく、王権の重要な象徴でもあった。

次に中王国は、エジプト南部のヌビアまで**拡大**していった。商人はメソポタミアなど遠方の地とも貿易を始めていた。技術者は、**農地**を作るためにナイル川デルタ（三角州）湿地帯の排水を行い、ナイル川と紅海を結ぶために**運河を掘削した**。

1世紀にわたる**侵略者**の支配のあと、新しいファラオの王朝が新王国としてエジプトを再統一した。エジプトは西南アジアにおける最強国家となり、この時期のファラオは、シリアやエジプト西方のリビアにも軍事侵攻を行った。彼らは帝国の力を誇示するために、**壮大な**寺院を建築したのだった。だが、前1200年代以降、エジプトは外敵の侵略に**苦しみ**、前1070年に新王国はついに**崩壊した**。その後1000年にわたり、エジプトは、アレクサンドロス大王を含む外敵の支配を繰り返し受けた。前1世紀、クレオパトラ7世は再びエジプトの**独立**を取り戻そうとしたが、彼女の敗北後、エジプトはローマ帝国の一部となったのである。

3

pharaoh ファラオ。古代エジプト王の称号 2 bureaucracy 官僚制度 achievement 功績、偉業 Giza ギザ。エジプト北東部、カイロに面するナイル川西岸の都市。クフ王のピラミッドをはじめとする三大ピラミッド、スフィンクスがある mummified ミイラ化した 3 Nubia ヌビア。エジプト南部から南方のスーダンに至る地方で、大半が砂漠 drain ～を灌漑する swampland 沼沢地、湿地帯 4 military campaign 軍事行動 periodically 定期的に Cleopatra VII クレオパトラ7世（前69?-前30）。エジプトのプトレマイオス朝最後の女王（在位前51-前30）で、カエサルやアントニウスの愛人となった

古代 15

4 音声のTrack番号…………音声は、英語のテキストのみが収録されています。ご自宅や移動中のマイカーの中などで、ぜひネイティブの発音のあとについて即座に復唱する、「シャドーイング」という勉強法を実践してみてください。

5 本文テキストのワード数‥‥速読の練習の際に目安にしてください。参考までにwpm(word per minutes)という、1分間に何ワードを読めるかで計測する基準では、TOEICでは150wpm、ネイティブは250～300wpm程度です。

[年表]……………………………英語で再確認する世界史の年表です。本編で紹介できなかった出来事、また日本史についても併記しています。

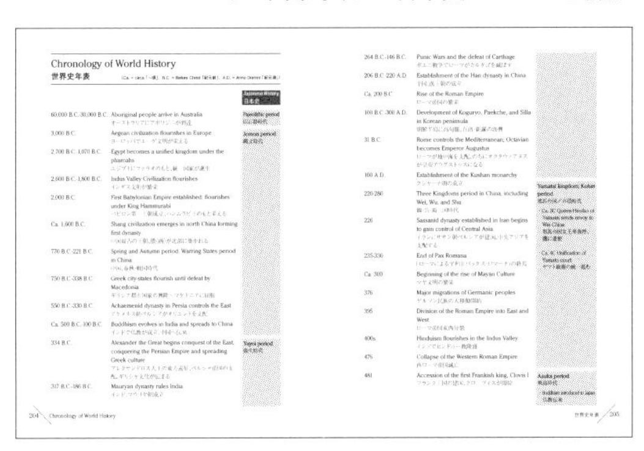

Chronology of World History
世界史年表

		Japanese History 日本史
60,000 B.C.-30,000 B.C.	Aboriginal people arrive in Australia	Paleolithic period
3,000 B.C.	Aegean civilization flourishes in Europe	Jomon period
2,700 B.C.-1,070 B.C.	Egypt becomes a unified kingdom under the pharaohs	
2,600 B.C.-1,800 B.C.	Indus Valley Civilization flourishes	
2,000 B.C.	First Babylonian Empire established; flourishes under King Hammurabi	
Ca. 1,600 B.C.	Shang civilization emerges in north China forming first dynasty	
770 B.C.-221 B.C.	Spring and Autumn period, Warring States period in China	
750 B.C.-338 B.C.	Greek city-states flourish until defeat by Macedonia	
550 B.C.-330 B.C.	Achaemenid dynasty in Persia controls the East	
Ca. 500 B.C.-100 B.C.	Buddhism evolves in India and spreads to China	
334 B.C.	Alexander the Great begins conquest of the East, conquering the Persian Empire and spreading Greek culture	Yayoi period
317 B.C.-186 B.C.	Mauryan dynasty rules India	
264 B.C.-146 B.C.	Punic Wars and the defeat of Carthage	
206 B.C.-220 A.D.	Establishment of the Han dynasty in China	
Ca. 200 B.C.	Rise of the Roman Empire	
100 B.C.-300 A.D.	Development of Koguryo, Paekche, and Silla in Korean peninsula	
31 B.C.	Rome controls the Mediterranean; Octavian becomes Emperor Augustus	
100 A.D.	Establishment of the Kushan monarchy	
220-280	Three Kingdoms period in China, including Wei, Wu, and Shu	Yamatai kingdom; Kofun period
226	Sassanid dynasty established in Iran begins to gain control of Central Asia	
235-330	End of Pax Romana	
Ca. 300	Beginning of the rise of Mayan Culture	
376	Major migrations of Germanic peoples	
395	Division of the Roman Empire into East and West	
400s	Hinduism flourishes in the Indus Valley	
476	Collapse of the Western Roman Empire	
481	Accession of the first Frankish king, Clovis I	Asuka period

204 Chronology of World History
世界史年表 205

[索引]……………………………英語の語句から調べる索引です。本編と年表の中に出てきた重要語句を、ページ数とともにリストにしています。

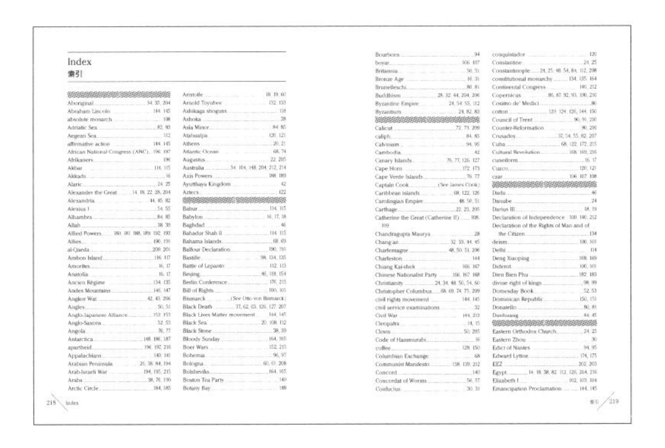

Index
索引

218 Index
索引 219

音声のご利用案内

スマートフォン

1 ジャパンタイムズ出版の音声アプリ「OTO Navi」をインストール

2 OTO Navi で本書を検索

3 音声（MP3）をダウンロードし、再生

3秒早送り・早戻し、繰り返し再生などの便利機能つき。
学習にお役立てください。

パソコン

1 ブラウザからジャパンタイムズ出版のサイト「BOOK CLUB」にアクセス
https://bookclub.japantimes.co.jp/book/b507491.html

2「ダウンロード」ボタンをクリック

3 音声をダウンロードし、iTunes などに取り込んで再生

※音声は zip ファイルを展開（解凍）してご利用ください。

Chapter 1

古代
—文明、王朝の誕生

Ancient Period:
The Birth of Civilizations and Dynasties

プトレマイオス2世(または3世)の頭部

1

Orient/Asia　前2700～前1070年

Egypt under the Pharaohs

Ancient Egyptian history is divided into three major periods: the Old Kingdom (2700 B.C.-2200 B.C.), the Middle Kingdom (2055 B.C.-1650 B.C.), and the New Kingdom (1550 B.C.-1070 B.C.). These were long periods of **stability** and **development divided** by short periods of political **disorder**.

The rulers of the Old Kingdom came to be called "pharaoh," meaning "great house" or "palace." The pharaoh was a divine being. A government bureaucracy developed to help the pharaohs **administer**. Among their achievements was the building of the three great pyramids at Giza around 2500 B.C. They were tombs for the mummified bodies of the pharaohs but also important symbols of royal power.

The Middle Kingdom began **expansion** into Nubia, south of Egypt. Merchants began trading in distant regions such as Mesopotamia. Engineers drained swampland in the Nile Delta to create **farmland** and **dug a canal** to connect the Nile River with the Red Sea.

After a century of being ruled by **invaders**, a new dynasty of pharaohs reunited Egypt in the New Kingdom. Egypt became the most powerful country in Southwest Asia. The pharaohs of this period led military campaigns into Syria and westward into Libya. They built **magnificent** temples to show the power of their empire. Beginning in the 1200s B.C., however, Egypt **suffered** invasions, and finally in 1070 B.C. the New Kingdom **collapsed**. For a thousand years, Egypt was periodically dominated by outsiders, including Alexander the Great. Cleopatra VII tried to reestablish Egyptian **independence** in the first century B.C. but after her defeat, Egypt became part of Rome's empire. (264)

ファラオ時代のエジプト

古代エジプト史は、古王国（前2700～前2200）、中王国（前2055～前1650）、新王国（前1550～前1070）の3つの時代に大別される。それぞれの王国は長い**安定**と**発展**の期間だったが、どれも短い政治的**混乱**期によって**分割されていた**。

まず古王国の支配者は「大きな家、宮殿」を意味する「ファラオ」と呼ばれており、ファラオは現人神（あらひとがみ）であった。政府の官僚組織は、ファラオの**支配**に役立つよう発展した。ファラオの功績の中には、前2500年頃に造られたギザにある3つの大ピラミッドがある。これらのピラミッドは、ファラオのミイラ化した遺体を納める墓であるばかりではなく、王権の重要な象徴でもあった。

次に中王国は、エジプト南部のヌビアまで**拡大**していった。商人はメソポタミアなど遠方の地とも貿易を始めていた。技術者は、**農地**を作るためにナイル川デルタ（三角州）湿地帯の排水を行い、ナイル川と紅海を結ぶために**運河を掘削した**。

1世紀にわたる**侵略者**の支配のあと、新しいファラオの王朝が新王国としてエジプトを再統一した。エジプトは西南アジアにおける最強国家となり、この時期のファラオは、シリアやエジプト西方のリビアにも軍事侵攻を行った。彼らは帝国の力を誇示するために、**壮大**な寺院を建築したのだった。だが、前1200年代以降、エジプトは外敵の侵略に**苦しみ**、前1070年に新王国はついに**崩壊した**。その後1000年にわたり、エジプトは、アレクサンドロス大王を含む外敵の支配を繰り返し受けた。前1世紀、クレオパトラ7世は再びエジプトの**独立**を取り戻そうとしたが、彼女の敗北後、エジプトはローマ帝国の一部となったのである。

タイトル pharaoh ファラオ。古代エジプト王の称号　2 bureaucracy 官僚制度　achievement 功績、偉業　Giza ギザ。エジプト北東部、カイロに面するナイル川西岸の都市。クフ王のピラミッドをはじめとする三大ピラミッド、スフィンクスがある　mummified ミイラ化した　3 Nubia ヌビア。エジプト南部から南方のスーダンに至る地方で、大半が砂漠　drain …を灌漑する　swampland 沼沢地、湿地帯　4 military campaign 軍事行動　periodically 定期的に　Cleopatra VII クレオパトラ7世〈前69?-前30〉。エジプトのプトレマイオス朝最後の女王〈在位前51-前30〉で、カエサルやアントニウスの愛人となった

2

Orient/Asia 前2000年頃

Babylon and Hammurabi

Babylon was an area occupying southeast Mesopotamia between **the Tigris and the Euphrates rivers** (now southern Iraq). Before Babylon was established in about 1850 B.C., the Sumer and Akkads settled there. Sumer **consisted of** such **city-states** as Ur and Lagash. The Sumerians had the culture of the **Bronze Age**, and a written culture but went into decline in about 2000 B.C. As the Sumerians declined, the Akkads came to the fore. Akkadian is the oldest Semitic dialect **still preserved**.

After the fall of Sumer and Akkad, Semitic Amorites **conquered** all of Mesopotamia by about 1900 B.C. They established the First Babylonian Empire, and the reign of King Hammurabi in the 18th century B.C. was its **heyday**. Hammurabi set up an **efficient** bureaucracy, made the transportation system, **encouraged** commerce, and established a centrally administered state. He **enacted** the "**Code of Hammurabi**" which was recorded in cuneiform characters, and consists of well-organized ancient **written laws**. The code **contained** the criminal, civic, and commercial laws.

The most famous **provision** might be "if a man destroys the eye of another man, they shall destroy his eye. If one breaks a man's bone, they shall break his bone." The code also included new concepts, such as the presumption of innocence, and it **influenced** later written laws. In the 17th century B.C., the Hittites established a new government in Anatolia. Unlike the previous Babylonian kingdoms which had used bronze ware, the Hittites used **ironware** for the first time in the world, and **maintained** strong military power. The Hittites destroyed the First Babylonian Empire in the early 16th century B.C. (263)

バビロンとハンムラビ王

バビロンは現在のイラク南部にあたる、**ティグリス川、ユーフラテス川**の間にはさまれたメソポタミア南東部に位置していた。前1850年頃にバビロンが築かれる前には、シュメール人とアッカド人がそこに居住していた。シュメールは、ウル、ラガシュといった**都市国家から成り立って**おり、**青銅器時代**の文化と文字文化を有していたが、前2000年頃に衰退する。シュメール人が衰える一方で、アッカド人が台頭した。アッカド語は**現存する**セム語方言の中でも最古のものである。

シュメール人、アッカド人が滅んだあと、セム語族であるアムール人が前1900年頃、メソポタミアの地全体を**征服した**。彼らはバビロニア第1王朝を樹立し、前18世紀のハンムラビ王のとき**絶頂期**に達した。王は**効率的**な官僚制度を始め、輸送システムを整備し、商業**を奨励する**ことで、中央集権国家を打ち立てたのであった。また、王は楔形文字で記された**「ハンムラビ法典」を定めた**。この法典はよく整った古代の**成文法**から成り、刑法、民法、商法を**含んでいた**。

中でも最も有名な**規律**は「もし人が他人の目を傷つけたならば、彼自身の目を傷つけられるべし。もし人が他人の骨を折ったとすれば、彼自身の骨が折られるべし」であろう。ハンムラビ法典は推定無罪といった新しい概念を含んでおり、のちの成文法にも**影響を与えている**。前17世紀になると、ヒッタイトがアナトリアの地に政権を立てた。ヒッタイト王国は、青銅器を用いていた過去のバビロニアの諸王国とは異なり、世界で初めて**鉄器**文化を発展させるとともに、強大な軍事力を**蓄えていた**。そして前16世紀初頭、ヒッタイトはバビロニア第1王朝を滅ぼしたのであった。

タイトル Babylon バビロン。古代バビロニアの首都　(King) Hammurabi ハンムラビ王〈在位前1792頃-前1750頃〉。全メソポタミアを統一した　1 Sumer and Akkad 古代シュメール人とアッカド人　Ur and Lagash ウルとラガシュ。いずれも古代メソポタミア文明の都市国家　go into decline 衰退する　come to the fore 台頭する、頭角を現す　Semitic セム語(の)　2 Amorites 古代アムール人　First Babylonian Empire バビロニア第1王朝〈前19世紀-前16世紀〉　set up ... …を定める、打ち立てる　centrally administered 中央で管理された　cuneiform characters 楔形(くさびがた、せっけい)文字。粘土板に刻まれた楔に似た形の文字　3 presumption of innocence 推定無罪　Hittites ヒッタイト王国〈前17世紀頃-前12世紀頃〉　Anatolia アナトリア。黒海と地中海との間の広大な高原で、現在のトルコの一部　unlike …とは違って、…とは異なり

3

Europe/Orient　前359〜前323年

Alexander the Great

The kingdom of Macedonia lay in the mountainous region north of the Greek heartland. **The Macedonians** spoke a dialect of Greek, but were considered less advanced by the Greek **city-states**—until Philip II **came to the throne** in 359 B.C. The new king reorganized the Macedonian army, adding a **cavalry** and creating new types of **infantry**. With these, Philip II achieved dominance over the Greek city-states, with the help of his **ambitious** son Alexander.

Tutored in philosophy and literature by Aristotle and trained by his father in military **tactics**, Alexander proved to be a leader of great **potential**. When his father was assassinated in 336 B.C., Alexander lost little time in fulfilling his father's ambitions of **invading** the Persian Empire. He led an army of 50,000 veterans into Asia in 334 B.C. and achieved a series of victories in Syria, Egypt and Mesopotamia. After defeating the huge army of Persia's King Darius III, he declared himself 'king of kings,' although we know him as Alexander the Great.

Alexander died in Babylon in 323 B.C. at the age of just 32, from a **fever**, but his **legacy** survived across the empire he had founded, in the many cities named after him. These cities were peopled with Greek merchants and **artisans** who **spread** Greek culture far beyond **the Mediterranean**, bringing East and West into a single **commercial sphere**. The city named after him in Egypt became the intellectual center of the Mediterranean world for centuries, with its great library, the repository of the **accumulated** learning of the ancient lands of his empire. (260)

アレクサンドロス大王

マケドニア王国は、ギリシア本土の北方山岳地帯に位置していた。**マケドニア人**はギリシア語の一方言を話していたが、前359年にフィリッポス2世が**即位する**まで、ギリシア**都市国家**からは後進国と見なされていた。新王はマケドニア陸軍を再編成し、**騎兵隊**と新式の**歩兵隊**を加えた。これによってフィリッポスは、**野心あふれる**息子アレクサンドロスの助力もあって、ギリシア都市国家を支配することとなる。

アリストテレスから哲学と文学を手ほどきされ、また父の軍事**戦術**の教育もあって、アレクサンドロスは大きな**可能性を秘めた**指導者であることを示していく。前336年に父王が暗殺されると、アレクサンドロスはすぐさま父の野望であったペルシア帝国**侵攻**にかかった。王は前334年には古参兵5万人をアジアに派兵する。そしてシリア、エジプト、メソポタミアで戦勝を挙げたのであった。ペルシア国王ダレイオス3世率いる大軍を破ったあとは、自らを「諸王の中の王」と呼称した。のちにわれわれは彼を「アレクサンドロス大王」と称することになる。

アレクサンドロスは前323年にバビロンで32歳の若さで**熱病**のため亡くなった。だが彼の**遺産**は、彼が建国した帝国の至るところに残った。多くの都市が彼の名にちなんで命名された。これらの都市にはギリシア系商人や**職人**が住み、彼らは**地中海**をはるかに超えてギリシア文明**を広めた**のであった。そして東洋と西洋は、いまや一つの**商業圏**となった。とりわけエジプトでアレクサンドロスにちなんで命名された都市は、大図書館によって数世紀にもわたり、地中海世界の知識の中心となった。この図書館はアレクサンドロスが創った古代帝国において、**蓄積された**学問の宝庫となったのである。

---

1 the kingdom of Macedonia マケドニア王国。ギリシア北方にあった王国　achieve dominance 支配する　**2** Aristotle アリストテレス〈前384-前322〉。古代ギリシアの大哲学者　be assassinated 暗殺される　lose little [no] time in ... すぐ…する　fulfil ～を実行する　veteran 歴戦の兵士　Darius III ダレイオス3世〈在位前336-前330〉。アケメネス朝ペルシア最後の王　declare *one*self ... 自らを…と称する　**3** name A after B Bにちなんで Aを名づける　be peopled with ... …が住んでいる、植民している　great library エジプト・ナイル河畔の都市アレクサンドリアにあった大図書館　repository 保管所、倉庫、宝庫

Europe　前750〜前338年

4 From Greek City-States to Macedonian Defeat

In the 9th century B.C., several trade centers developed in Greece, **stimulating craftwork, shipbuilding**, population growth, and agriculture. This resulted in the growth and **prosperity** of several *polis*, the Greek word for "**city-states**," communities that shared a common identity. These city-states, however, **distrusted** one another, so Greece was divided into **fiercely** independent units.

Between 750 B.C. and 550 B.C., due to **overpopulation** at home, large numbers of Greeks left their homelands **in search of** good farmland. Each new **colony** became a new independent *polis*. They **spread** around the Mediterranean and **the Black Sea**, spreading their culture and political ideas.

Many of these city-states came to be ruled by tyrants. When they fell out of favor, some city-states became oligarchies, ruled by a few powerful men. Others became **democracies**, in which many people **participated in** government. Two city-states **emerged** as rivals: Sparta and Athens.

These city-states stood together, however, when the Persian Empire **launched** an attack on the Greeks in 499 B.C. They united in the common goal of **defeating** the invaders. After victory in the Persian Wars in 479 B.C., Athens gathered its **allies** in one alliance and Sparta formed its own **alliance**.

The two city-states differed greatly and were unable to **tolerate** the politics or culture of the other. **Disputes** broke out in 431 B.C. leading to the outbreak of the Peloponnesian War, which lasted until 404 B.C. Although Sparta **defeated** Athens, the war weakened all of the city-states. By 338 B.C. the Greek world would be ruled by Macedonia. (251)

ギリシア都市国家の興隆とマケドニアへの屈服

前９世紀、古代ギリシアには貿易の拠点がいくつか生まれており、これらが**手工業、造船業を後押しし**、人口を増大させ、農業を**発展**させていった。その結果「ポリス」が成長し、発展することとなる。ポリスとは、古代ギリシア語で「**都市国家**」を指し、同胞意識を持つ共同体を意味していた。だが、こうした都市国家は相互**に不信感を抱いていた**ので、古代ギリシアは**非常に**独立性の強い団体に分かれていた。

前750年から前550年までに、国内の**人口過剰**もあって、ギリシア人の多くは肥沃な耕地**を求めて**母国を離れた。そして新しく得られた**植民地**もまた、独立した都市国家となったのである。都市国家は地中海、**黒海**に沿って**広がっていき**、ギリシア人の文化と政治思想を広めた。

こうした都市国家の多くは、最終的には一人の僭主によって支配されることとなった。しかし僭主らが人気を失うと、数人の権力者によって統治される寡頭制となった。また都市国家の中には**民主制**となり、多くの人々が政治**に参加していた**ものもある。その中で、２つの都市国家がライバルとして**浮上した**。スパルタとアテネである。

しかしこれらの都市国家は、前499年にペルシア帝国がギリシアへの攻撃**を始める**と、団結するようになった。彼らは侵略者**を打ち負かす**という共通の目的のために、団結したのであった。前479年のペルシア戦争での勝利のあとは、アテネは自ら**同盟国**を集め、他方スパルタも自国を中心とした**同盟**を作った。

この２つの都市国家のあり方は大きく異なり、お互い他国の政治、文化**を許容する**ことができなくなっていた。前431年に**対立**は表面化し、この紛争は前404年まで続くペロポネソス戦争となったのである。スパルタはアテネ**を下した**ものの、戦争は都市国家すべてを弱体化させた。そして前338年までに、ギリシア世界はマケドニア王国の支配下に入ったのである。

---

1 result in ... …という結果になる　polis ポリス。古代ギリシアの都市国家　share …を共有する、分かち合う　be divided into ... …に分けられる　**3** come to *do* …することになってしまう　tyrant 僭主、僭王。古代ギリシアで、世襲ではなく実力で支配者となった者　fall out of favor 人気が落ちる　oligarchy 寡頭政治（国家）、少数独裁政治。複数形はoligarchies　Sparta and Athens スパルタとアテネ。古代ギリシアを代表する都市国家で、それぞれ軍国主義、民主政治を特徴とした　**4** Persian Empire アケメネス朝ペルシア帝国〈前550-前330〉　**5** break out（争いなどが）勃発する　lead to ... …につながる、…を引き起こす　Peloponnesian War ペロポネソス戦争〈前431-前404〉

5

Europe　前300〜前31年

Rise of the Roman Empire

Although Ancient Greek culture spread **in the wake of** the conquests of Alexander the Great, political unity failed to **take hold** in the regions between Greece and Persia. It was the Romans who accomplished this, using **military might, imposing** their laws, and extending citizenship to the people they conquered.

Rome did not develop beyond a city-state until the early decades of the 3rd century B.C. Through **diplomacy** and military conquest, Rome became the dominant power in the **peninsula**, with the neighboring peoples as their allies. But the western Mediterranean was controlled by Carthage, a city in North Africa. Rome fought three wars called the Punic Wars against its rival, even defeating Carthage's general Hannibal, who famously attempted to invade Italy using elephants to cross **the Alps**. The Romans ultimately **took over** Spain, razed Carthage to the ground, and extended their control into the Near East, North Africa, Gaul (present-day France), and Britain.

The early Roman army **was composed of** small-scale farmers who **served** when required and then returned to their land. But as the Roman legions **campaigned** further and further away from their land, these soldier-farmers were unable to **cultivate** those lands and **fell into debt**. Meanwhile, the elite bought up their lands and formed large **estates**, worked by **enslaved** captives from conquered regions. As the elite grew wealthier and the poor became dispossessed, a number of dominant generals began vying for power, among them Pompey and Julius Caesar.

When **competitors** began to suspect that Caesar was seeking **supremacy**, they **assassinated** Caesar in 44 B.C. **Civil wars** followed and continued until Octavian defeated his opponents in 31 B.C., becoming the first emperor and taking the name Augustus. (279)

ローマ帝国の成立

古代ギリシアの文明は、アレクサンドロス大王の征服**の跡を追って**広がったものの、ギリシアとペルシア間の地域に政治的な統一が**根を下ろす**ことはなかった。これを実現したのは古代ローマ人であった。彼らは**軍事力**を用いてローマ法**を強制し**、自らが征服した人々にローマ市民権を拡大していった。

ローマが一都市国家を超えて発展したのは、前3世紀初めになってからである。**外交**と軍事力によって、ローマは近隣の民族を同盟者としつつ、イタリア**半島**における最強の国家となった。しかし、地中海西部は北アフリカにある都市国家カルタゴに支配されていた。そこでローマは、このライバルとポエニ戦争と呼ばれる戦いを3度行い、象を用いて**アルプス山脈**を越え、イタリアに侵入しようとしたことで有名なカルタゴの猛将ハンニバルさえも破った。ローマは最後にはスペイン**を占領し**、カルタゴを完全に破壊すると、支配地域を近東や北アフリカ、ガリア（現在のフランス)、イギリスにまで拡大した。

初期のローマ陸軍は、小規模な農民**から成り立っていた**。彼らは召集を受けると**軍役を果たし**、その後は所領に戻っていった。だがローマの軍団がますます遠方の地で**戦闘を行う**につれて、こうした農民兵は農地**を耕す**ことが不可能になり、**借金を抱えるようになった**。その一方、ローマのエリートたちは、農民兵の土地を買い上げ、大**土地**所有を行っていた。こうした大土地では、征服地から来た**奴隷状態にある**捕虜が働いていた。エリートが富裕になればなるほど、貧農は土地から追い立てられ、それにつれて数人の有力な将軍は権力闘争を行った。その中には、ポンペイウスとユリウス・カエサルがいた。

競争者たちは、カエサルが**覇権**を狙っているのではないかと疑い始めると、前44年にカエサル**を暗殺した**。その後、ローマは**内戦**状態になり、戦いは前31年にオクタウィアヌスが敵対勢力を破るまで続いた。そしてオクタウィアヌスは初代皇帝となり、アウグストゥス（尊厳ある者）の称号を得たのである。

---

1 fail to *do* ～することができない　**2** Carthage カルタゴ。北アフリカにあった古代フェニキア人都市国家　Punic Wars ポエニ戦争〈前264-前146〉　Hannibal ハンニバル〈前247-前183?〉　raze ～を完全に破壊する　Gaul ガリア。古代ローマの属州　**3** legion（古代ローマの）軍隊、軍団　captive 捕虜、虜囚　dispossessed（土地・財産を）奪われた　vie for ... …を得ようと競う（ing形はvying）　Pompey ポンペイウス〈前106-前48〉。カエサルに敗れたローマの軍人・政治家　Julius Caesar ユリウス・カエサル〈前100-前44〉。ローマの将軍・政治家　**4** Octavian オクタウィアヌス〈在位前27-後14〉。ローマ帝国初代の皇帝

6

Europe 235〜330年

End of *Pax Romana*

Despite **instability** among the elite, for several centuries the *Pax Romana* continued throughout the empire. The **provinces** were largely self-governing, controlled by local elites. Conquered people who **were content to** follow Roman cultural ways enjoyed Roman citizenship. They built new cities on the model of Rome, with temples, **forums**, and amphitheaters.

By the 3rd century A.D., however, the Roman Empire, which had dominated the Mediterranean world for **roughly** 500 years began to collapse. Barbarian incursions along the northern frontiers in 235 continued for a half century. **Germanic tribes** such as the Franks pressed into the borders of the Roman Empire along **the Rhine and Danube rivers**. The Romans called them "barbarians" but they were at least partly Roman, participating in trade with Rome, and often serving as mercenaries in the Roman army. These people were themselves **under pressure** from nomadic warriors like **the Huns**.

To protect themselves, the Romans built walls around their city in the 270s. In 410, however, the city **was** finally **sacked by** the Visigoths under Alaric. Shortly thereafter, the last Roman emperor was **ousted** by a Germanic general who made himself king of Italy.

Although Rome itself fell, Roman **civilization** did not collapse. **In one sense,** it simply moved, **eastward**. In 306, Constantine became Emperor and in 330 he moved the Roman capital to Constantinople, a Greek city **formerly** called Byzantium. From that point on, the Roman Empire was divided between east and west. Christianity, too was divided, with the Roman Catholic Church in the west and the church in the Byzantine Empire in the east becoming the Eastern Orthodox Church. (265)

「ローマによる平和」（パックス・ロマーナ）の終焉

支配者層の中に**不安定さ**はあったものの、数世紀にわたって「ローマの平和」は帝国すべての領域で続いていた。帝国の**属州**においては、大部分で自治を行っており、地方の有力者によって支配されていた。ローマ的な文化様式**に進んで**従った被征服民は、ローマの市民権を享受していた。彼らはローマをモデルにして新しく都市を建設し、それには神殿、**公会場（フォーラム）**、円形競技場が伴っていた。

ところが3世紀になると、**およそ**500年にわたって地中海地方を支配してきたローマ帝国が崩壊し始める。235年、北部の国境線に沿って起こった異民族の侵入は半世紀の間続いた。フランク人などの**ゲルマン民族**は、**ライン川やドナウ川**に沿ってローマ帝国国境地域に進軍してきた。ローマ人は彼らのことを「野蛮人」と名づけていたが、少なくともその一部分はローマ市との通商に関わっているローマ人であり、ローマ軍の傭兵（ようへい）として仕えていた。そしてゲルマン民族自体が、**フン族**などの武装遊牧民族から**圧力を受けて**いたのである。

270年代に入ると、ローマ人は防衛目的でローマ市の周囲に壁を築いていた。だが、410年にはアラリック王の指揮する西ゴート族**によって**、ついにローマは**略奪される**こととなった。そのすぐ後、最後のローマ皇帝はゲルマン人の将軍によって皇帝位を**剥奪され**、その将軍自身がイタリア王となったのである。

ローマは没落したものの、ローマの**文明**が滅んでしまったわけではない。**ある意味で**、ローマ文明はただ**東方に**移動したにすぎないのだ。306年、コンスタンティヌス帝がローマ皇帝に即位し、330年には帝国の首都を**かつて**ビザンティウムという名のギリシア植民市だったコンスタンティノープルに遷（うつ）した。そのとき以来、ローマ帝国は、東西に分割されたのであった。キリスト教も同様だった。西ローマ帝国はローマ・カトリック教会を、東ローマ帝国はギリシア（東方）正教会を擁することになったのである。

タイトル *Pax Romana*（ラテン語でRoman Peace）古代ローマの力による平和 **1** amphitheater 円形競技場（劇場） **2** barbarian 蛮族（の） incursion 襲撃、侵入 Franks フランク族。ゲルマン系種族で、その一派は西部ヨーロッパに広大な帝国を建設した mercenary 傭兵 nomadic 遊牧民の **3** Visigoths 西ゴート族 Alaric アラリック王〈在位395-410〉。西ゴート族の王 **4** Constantine コンスタンティヌス1世（大帝）〈280?-337〉。キリスト教を公認したローマ皇帝〈在位306-37〉 Constantinople コンスタンティノープル。バルカン半島南東端 Eastern Orthodox Church 東方正教会。東ローマ帝国のキリスト教会を起源とし、1054年に西方教会から分離した諸教会の総称

7

Asia　前2600〜前1800年

Indus Valley Civilization

The Indian **subcontinent** is marked by two great river valleys, the Indus and the Ganges. The extensive river system of the Indus River valley supported the **agriculture** and **trade** of the largest of the early civilizations, reaching from the Himalayas to the Arabian Sea. The Indus valley today is a **relatively** dry plateau. In ancient times, however, the climate was more **moderate** and it served as the cradle of Indian civilization.

Over a thousand settlements have been found in this region, including two cities: Harappa and Mohenjo Daro. Historians **refer to** this **as** Indus civilization or Harappan civilization. Both once had **approximately** 35,000 **inhabitants**. The cities were carefully arranged in a grid pattern of walled neighborhoods, with broad north-south main streets and smaller east-west roads. Houses were constructed of **oven-baked mud bricks**. A regular supply of water with public wells, a drainage system, and **garbage bins** were **maintained** by **well-organized** governments.

The economy was based on agriculture. Floods replenished the **soil** and summer **monsoons** provided rain. Wheat, barley, and peas supplied sufficient food. Copper, bronze, and gems **were traded for** other **necessities**. Some trade goods were carried overland to Persia, but most were transported by ship to the Arabian Peninsula and through the Persian **Gulf** to Mesopotamia.

It is not clear why the Indus Valley civilization collapsed. Sometime around 1800 B.C. **climatic changes** and perhaps an influx of new people began to **affect** the region. By 1500 B.C. there was a major **transformation** and two ancient cities were abandoned. (252)

インダス文明

インド**亜大陸**は２つの大河、インダス川とガンジス川に挟まれた地域である。とりわけインダス川の巨大な河流域は、ヒマラヤ山脈からアラビア海に広がる古代文明の中でも最大の**農業**地域、**商業**地域を作り上げたのであった。今日のインダス川流域は**比較的**乾燥した平原になっているものの、古代にはもっと**温暖な**地域であり、古代インド文明を育むにはおあつらえ向きの場所だったのである。

ここには千以上の集落が見られ、その中にハラッパー、モエンジョ・ダーロという２つの都市が含まれる。歴史家はこれをインダス文明、あるいはハラッパー文明**と称し**ており、どちらも３万５千人**ほどの人口**を擁していた。これらの都市では、南北に伸びる大路、東西には小路が広がり、隣家とは壁で隔てられて、格子状の街路で整然と区切られていた。家屋は**泥粘土を焼いたれんが**でできており、公有の泉から湧き出る上水、下水システム、**ゴミ箱**などが、**よく組織された**政府の手で**維持管理されて**いたのであった。

経済は農業が中心であり、洪水が**土壌**を何度も豊かにしていた。夏の**季節風**は雨をもたらし、小麦、大麦、豆類といった十分な食料をもたらしていた。銅、青銅、宝石類はこの他の**必需品と取引され**ていた。取引品の中には陸路ペルシアまで運ばれるものもあったが、ほとんどの品は船でアラビア半島まで運ばれたり、ペルシア**湾**を通ってメソポタミアへと運搬されたりしていた。

インダス文明がなぜ滅んだかについては、はっきりしない。前1800年頃の**気候変動**と、新しく流入してきた人々がおそらくこの地に**影響を与え**たのだろう。前1500年までには、大規模な社会の**変動**があり、２つの都市は放棄されてしまったのである。

---

1 Indus インダス川。南アジア南部の大河、チベット西部からカシミール、パキスタンを経てアラビア海に注ぐ　Ganges ガンジス川。ヒマラヤ山脈中に発し、インドの北東部を南東に流れ、大デルタを形成しベンガル湾に注ぐ　plateau 高原、台地　serve as the cradle of ... …の発生地としての役割を果たす　**2** settlement 集落、入植地　Harappa and Mohenjo Daro ハラッパーとモエンジョ・ダーロ。いずれもインダス文明の古代都市　grid 格子（状の）　drainage 排水（装置）　**3** replenish …を補給する、再び満たす　gem 宝石　overland 陸路で　**4** influx 流入　be abandoned 放棄される、見捨てられる

8

Asia 前300年頃

Maurya and Kushan

The Maurya dynasty was an ancient Indian state **centered at** Pataliputra (now Patna) near the Ganges River. Soon after Alexander the Great's death, Chandragupta Maurya, its **founder**, conquered the states of Greek **descent**, and this empire's largest territory encompassed most of the subcontinent except for the Tamil south country.

During the era of Emperor Ashoka the empire reached its zenith, and much is known about him. Ashoka conquered the Kalinga state, and killed his enemies **recklessly**. The emperor later **regretted** what he had done and embraced Buddhism, deciding to rule not by force of arms but according to the Dharma, meaning Buddhist law or **ethics**. Ashoka made the exquisite stone **edicts** throughout his **realm**. These edicts are some of the oldest deciphered original texts of India. Ashoka built many Buddhist monuments called stupas, edited the Buddhist scriptures, and **encouraged missionary works**.

After the death of Ashoka, the empire fell into a decline. A new dynasty rose in India in the first century. The Iranian Kushans advanced into the Ganges River and established the Kusana dynasty. During the reign of King Kanishka the dynasty reached its high point. Kusana enjoyed **prosperity** from East and West trade, and **patronized** Buddhism.

At that time, Buddhists started a new movement. They did not choose the life of a monk but vowed to remain in the world and engage in missionary works for the common people. This school was called **Mahayana Buddhism**. New Buddhists encouraged fine art in Gandhara, and Mahayana Buddhism and Gandhara art were introduced to China and Japan. (256)

マウリヤ朝とクシャーナ朝

マウリヤ朝は、パータリプトラ（現在のパトナ）**を中心とする**古代インド人の王国である。アレクサンドロス大王が亡くなって間もなく、**建国の祖**チャンドラグプタは、ギリシア**起源**の国家を征服し、マウリヤ帝国の最大版図は、南部タミール地方を除くインド亜大陸のほとんどに広がっていった。

アショーカ王の時代に帝国は全盛期を迎え、この王については多くの事績が知られている。アショーカはカリンガ国を征服した際、人々を**無慈悲に**殺りくした。のちに王は自分の行い**を深く悔やみ**、仏教を信じた。王は武力ではなく、「ダルマ」（仏教における法または**倫理**）に従って国を統治することを心に決めたのである。王は荘厳な石造の**勅令**を国中に建造した。これらの勅令はインドで解読された文章のうち、最古のものの一つとなっている。アショーカはまた、多くの「卒塔婆」（仏教の記念塔）を建てる一方で仏教**教典**を編集し、**布教活動を奨励した**のであった。

アショーカ王の死後、帝国は衰退した。そして1世紀には新しい王朝がおこった。イラン系クシャーナ族は、ガンジス川を越えて進軍し、クシャーナ朝を樹立したのである（1～3世紀）。カニシカ王（在位130頃～170頃）のとき、王朝は絶頂期を迎えた。そして東西貿易によって**繁栄**を謳歌し、仏教**を保護した**。

当時、仏教徒は新しい運動を開始していた。彼らは出家の道を選ばず、世俗にとどまり庶民に対する布教活動に携わったのである。この教派は**大乗仏教**と呼ばれた。新しい仏教徒たちはガンダーラの地で美術を振興し、大乗仏教とガンダーラ美術は中国、さらに日本にも伝えられたのであった。

---

1 Maurya dynasty マウリヤ朝。インド初の統一国家を樹立した　Pataliputra パータリプトラ。インド東部の古代都市　encompass …を覆う　subcontinent 亜大陸。大きな半島のように、大陸の一部だが、ほかとは区別される部分　Tamil タミール語（古代インド南部ドラビダ族の言語）およびタミール人を指す　**2** reach *one*'s zenith 頂点に達する　embrace …に帰依する　exquisite この上なく素晴らしい、精妙な　decipher …を解読する　**3** fall into a decline 衰退する　Kusana dynasty クシャーナ朝。イラン系遊牧民がインドに建てた王朝　**4** vow …を誓う、誓約する　engage in ... …に従事する、携わる　Gandhara ガンダーラ。現在のパキスタン北西部に相当する地方の古代名で、仏教美術が隆盛した

9

Asia 前1600〜前221年

Birth of China: Yin and Zhou Dynasties

The Yin—also known as Shang—is the first recorded Chinese dynasty which is recognized by documentary and **archaeological** evidence. The **founding** date is uncertain, but some historians point out that it existed about 1600 B.C., and that it probably fell around 11th century B.C. Yin **was centered in** the North China Plain. The kings seem to have occupied several capitals one after another, but they settled in Anyang in the 14th century B.C. In this area, many so-called Yin Ruins have been discovered. The people used numerous bronze wares and in this period Chinese writing, which had been written on oracle bones, began to develop.

The Yin dynasty **was overthrown by** the Zhou dynasty. The Zhou also ruled North China, and Wu-Wang, the first king of the dynasty, appointed his **kin** as feudal lords and their **offspring** inherited lordships. The original Zhou capital was located near **Xi'an** along **the Yellow River**. The period before 771 B.C. is usually known as the Western Zhou dynasty, and that from 770 B.C. is known as the Eastern Zhou dynasty.

Eastern Zhou is often subdivided into the Spring and Autumn (Chunqiu) period, when China consisted of many small states, and the Warring States (Zhanguo) period, when the small states **were consolidated into** several larger states, which struggled with one another. In the Zhanguo period, many **philosophers** taught kings how to develop the state's strength; the most notable **figure** was Confucius. After fierce power struggles, Qin—or Chin **from** which modern China's name **derives**—unified China in 221 B.C. (255)

「中国」の誕生—殷、周時代

殷（別名「商」）は、記録に残っている最初の中国の王朝である。それは歴史書の上からも、**考古学**資料からも確認できる。**建国の**時期は明らかではないが、前1600年頃には成立し、前11世紀頃には滅んだと歴史家は推測している。殷は華北平原**を中心としており**、国王は次々と首都を移動したが、前14世紀に安陽に都を定めたと見られる。この地で「殷墟」といわれる遺跡が発見されたのだ。この時代の人々はすでに多くの青銅器を用いており、「卜骨（ぼっこつ）」といわれる骨に書かれた中国語表現が発達し始めていた。

殷朝は周（前1056？～前256）**に滅ぼされた**。周もまた中国北部を支配していた。初代の王・武王は自身の**親族**を封建領主に任命し、その**子孫**が**領地**を継承した。周の首都は**黄河**の近くにある**西安**のそばにあった。一般に、前771年より前は西周時代、前770年以降は東周時代として知られている。

東周時代はしばしば春秋時代（前770～前403）と戦国時代（前403～前221）に分けられる。春秋時代には多くの小国が分立していたが、戦国時代に入るとより大きな国家**にまとめられ**、国同士が戦いを繰り広げることとなる。戦国時代には多くの**思想家**が現れ、いかにして国を豊かにするかについて教えていた。その中で最も有名な**人物**が孔子である。そして激しい権力闘争ののち、秦（現在のChinaという表現はこの秦**に由来**）が前221年に中国統一を果たしたのである。

タイトル Yin 殷(商ともいう)。祭政一致の国家で、高度な文化を作り上げた **1** North China Plain 華北平原。古来より政治や文化の中心となった中国北部のこと Yin Ruins 殷墟。殷の時代の遺跡で、大量の食器・兵器などが発掘された bronze ware 青銅器。ほかに、旧石器時代(Paleolithic Age)、新石器時代(Neolithic Age)、青銅器時代(Bronze Age)、鉄器時代(Iron Age)がある oracle bones 卜骨。古代中国で占いに用いられた獣骨、亀甲。彫られた文字が漢字の原型となった **2** appoint ... as ～ …を～に任命する feudal lord 封建領主 **3** Spring and Autumn (Chunqiu) period 春秋時代。春秋の名は孔子が著した歴史書『春秋』による。周の権力が次第に弱まり、諸侯が台頭 Warring States (Zhanguo) period 戦国時代。特に有力な諸侯「戦国の七雄」に対し、「諸子百家」と呼ばれる思想家が富国強兵策を説いた struggle with ... …と戦う Confucius 孔子〈前551-前479〉。諸子百家の一人で、諸国を巡り善政を説いた。『論語』は孔子と弟子との言行録 Qin 秦。初代皇帝始皇帝により創始

10

Asia　前206～907年

The Han, Sui and Tang Dynasties

Han is the second united Chinese dynasty. It succeeded the Qin dynasty. The Han Empire was so powerful that "Han" became the Chinese word denoting someone who is Chinese. The Han overthrew the Qin dynasty but followed the Qin model and established a highly centralized **administration** and a **salaried bureaucracy**. Unlike the Qin, however, the Han paid high regard to **Confucian** thought to legitimize its huge empire including Vietnam and Korea. Historians divide the Han into two periods: the Former Han and the Later Han.

The fall of the Han dynasty in 220 was followed by the confused Three Kingdoms period, and finally the Sui Empire was established. Though short-lived, the Sui developed a new state system after four centuries of fragmentation, abolishing the clannish political system, and founding a **centralized state**. It started the civil service examinations, patronised Buddhism, and excavated huge canals.

A failed attempt to conquer Korea resulted in local **rebellions** and the fall of the empire. After a brief period of confusion, the Tang unified China. The Tang modelled the Sui system of examinations for entrance to the civil service, developed the centralized state, the administrative system, and increased tax revenues. Tang's huge power enabled the empire to conquer neighbouring countries. It gained strong **influence** over Tibet and the Turkic **nomads** in central Asia, and **dominated** Korea and Vietnam. The dynasty developed culturally, introducing Indian Buddhism and pursuing Persian merchandise. Chang'an, the capital, became the most **cosmopolitan city** of its time. (245)

漢、隋、唐王朝

漢（前206～220）は中国史上2番目の統一王朝である。漢は秦朝（前221～前207）を継いで統一国家を築いた。きわめて強力な国家だったため、「漢」の名称はいまなお中国人を表す名称となっているほどである。漢は秦を滅ぼしたものの、高度に中央集権化された秦の**行政**や**有給**の**官僚制度**などは継承した。だが秦とは異なり、漢は**儒教**思想を尊重し、この思想をベトナムから朝鮮に至る巨大な帝国の支配を正当化する手段とした。歴史家は一般に、漢朝を前漢（前206～後8）と後漢（25～220）に分けて考えている。

220年に漢が滅びると、三国時代（220～280）など混乱が続いたが、ついに隋（581～618）が帝国を築き上げた。隋朝は短命に終わったものの、それまで4世紀にわたる分裂・対立の時代から、新しい国家のシステムを発展させた。隋は古い氏族制の政治システムを廃止し、**中央集権国家**を建国したのであった。科挙といわれる官吏採用試験を始め、仏教を保護し、巨大な運河を掘削した。

隋は朝鮮征服に失敗したことで、地方で**反乱**を招き、帝国は崩壊した。短期間の混乱後、今度は唐（618～907）が中国を統一した。唐は隋が始めた官吏登用試験を模範として中央集権国家を発展させ、税収を増大させた。そして唐の強大な力によって、近隣の国家を征服する帝国が可能となった。唐は中央アジアのチベットからチュルク系**遊牧民**などに大きな**影響力**を持つとともに、朝鮮、ベトナム**も支配下に置いた**。唐はインド仏教を取り入れ、ペルシア人との交易を進めるなどして、文化的にも発展を遂げた。首都・長安は当時を代表する**国際都市**となったのである。

タイトル Han 漢。もとは漢帝国を指す。1世紀、短期間王莽（おうもう）によって「新」(AD8～23)が建国されたので、これを境に前半期の時代を前漢、後半期を後漢と呼ぶ **1** pay regard to ... …を尊重する denote …を指す。意味する legitimize …を正当化する、合法と認める **2** Three Kingdoms period（魏・呉・蜀の）三国時代 fragmentation 分裂、崩壊。fragment（破片、断片）の派生語 abolish …を廃止する clannish 氏族(制)の。clan（血縁などで結ばれた氏族）の派生語 patronize …を保護する excavate（トンネル、運河など）を掘る、掘削する **3** result in ... …という結果になる tax revenue 租税収入 Turkic（主に中央アジアに広がった）チュルク語系の… Chang'an 長安(現在の西安)

11

Asia Pacific　前6万〜前3万年

Aboriginal Australian Culture

When the British **colonized** Australia, they believed it was their duty to spread their version of civilization and Christianity. In return, they believed they were completely **justified** in taking the wealth of the colonized lands.

Unlike other ancient civilizations, Australia has no **magnificent** monuments or highly visible **ruins**. Consequently, it was convenient to **contend that** Indigenous Australians, or Aboriginals, led a primitive hunter-gatherer lifestyle. They **supposedly** led **nomadic** lives, foraging and hunting for food, and did not engage in agriculture. Recent **reexamination** of **archaeological sites** and journals by early European **explorers**, however, suggest that view is entirely mistaken.

Modern dating techniques suggest that the Aboriginal people reached Australia over land bridges from Indonesia some 60,000 years ago. These Aboriginal people practiced agriculture, selecting **seeds**, preparing the **soil**, **harvesting** crops, and storing surpluses. They maintained permanent settlements with **sizeable** populations. Early European journals mention **prominent** earthen mounds and terraces which suggest good soil management. In dry areas, **grains** were the **staple** crop; in wetter areas, yam production dominated. Grindstones found in New South Wales date from 30,000 years ago, making the inhabitants perhaps the world's oldest bakers.

Journals also mention houses of **clay** covered with plaster that served as permanent settlements. **Archaeologists** have discovered sophisticated waterworks and wells for irrigation. Along rivers, they have found weirs for catching fish, as well as meter-high dikes for trapping and breeding fish. **In short**, Aboriginals developed a sophisticated society—even before the colonists came. (242)

アボリジニのオーストラリア文化

英国がオーストラリア**を植民地化した**とき、彼らは自分たちの考えている文明とキリスト教を広めることが使命であると考えていた。その代償として、植民地の富を獲得することはまったく**正しいことなのだ**と信じて疑わなかった。

ほかの地域の古代文明とは異なり、オーストラリアには**壮大な**建造物もなく、目につきやすい**遺跡**があるわけでもなかった。したがって、オーストラリア先住民、つまりアボリジニは原始的な狩猟採集の生活を送っていたと**主張する**のは容易なことだった。実際アボリジニは、**おそらく遊牧**生活か、食料を求め歩くか、狩猟で生活を立てており、農業は行っていなかったと見られていた。ところが、近年の**考古学的遺跡**や、初期の**探検家**の日誌などを**再調査**したところ、この見解がまったくの誤りであることが示唆されている。

現代の年代特定技術によれば、約６万年前にアボリジニは、インドネシアから陸地をたどってオーストラリアに達したことが示されている。そしてアボリジニは農業を行っていた。すなわち**種子**を選び、種がまけるよう**農地**を整え、穀物**を収穫し**、余った農産物を貯蔵していた。つまり、アボリジニは**相当の**人口をもって定住生活を行っていたのであった。オーストラリアを探検した初期のヨーロッパ人の日誌では、**ひときわ目立つ**土塁や段々畑について語られており、これはアボリジニの優れた土壌管理を物語っている。乾燥地帯では**穀類**が**主要な**農産物であり、湿潤地域においては、ヤマノイモ生産が中心であった。さらにニューサウスウェールズにおいて発見された３万年前にさかのぼる石臼によって、ここの住民は世界最古のパンを焼いていたことが分かる。

これらの日誌は、定住場所として使われた、石こうで覆われた**粘土**の家についても述べている。また**考古学者**は、よくできた上水道や、灌漑のための井戸を発見している。さらに考古学者は、川沿いに魚を獲るための梁（やな）や、魚を捕まえて養殖する堀をも見つけたのであった。**要約すれば**、アボリジニは植民者が来航する以前から、洗練された社会を発展させていたのである。

2 consequently したがって、その結果　indigenous 先住(民)の　Aboriginal アボリジニ。オーストラリアの先住民　primitive 原始的な　forage 食料を探す　engage in ... …に従事する、…を営む　**3** dating 年代測定法　land bridge 陸橋、2つの陸域をつなぐ陸地　surplus 余剰(作物)　permanent settlement 定住地　earthen mound 土塁　terrace 段々畑、棚田　yam ヤマノイモ　grindstone 石臼　New South Wales ニューサウスウェールズ州。オーストラリア南東部の州　date from ... …にさかのぼる　**4** plaster 石こう　waterworks 上水道　irrigation 灌漑　weir 梁　dike 堀　breed …を繁殖させる

Chapter
2

中世
—シルク・ロード／十字軍遠征／ペストの流行

Medieval Period:
The Silk Road, the Crusades, and the Black Death

アンコール・ワット

12

Orient/South Asia　600年代

Muhammad and the Rise of Islam

In the 7th century, a powerful civilization arose in the Arabian **Peninsula**. Organized into **tribes** to help one another survive in the **harsh** desert, the Arabs were polytheistic. They believed in tribal gods but also in Allah, a supreme god. The tribes all worshipped Allah at the sacred Black Stone in the central shrine called the Kaaba in the city of Mecca.

Mecca was on the trade route between **the Mediterranean** world and the Indian Ocean. Born in Mecca, Muhammad became a **caravan** manager. He watched as tensions developed when increasingly rich merchants showed little **concern** for the welfare of poorer **clans** and slaves. Troubled by this gap between the poor and the wealthy elite, Muhammad began to meditate in the hills.

Muslims believe that during his meditations he received revelations from God via the angel Gabriel. Muhammad believed that Allah had already revealed himself to Moses and Jesus, leading to the **Jewish** and Christian beliefs. But Muhammad believed that Allah was delivering a final revelation to him. These revelations were later written down in the Quran, the holy book of Islam.

Muhammad became both a religious and a political leader. In 622 he left Mecca for Medina, where he was able to win support of the first group of practicing Muslims. In 630, he led a **military force** back to Mecca and most of the residents converted to Islam. After Muhammad's death in 632, the Muslims **expanded** throughout Arabia and into Egypt, North Africa and Persia. (249)

ムハンマドとイスラーム教の誕生

7世紀に入ると、アラビア**半島**で有力な文化が発達した。アラビア人は**過酷な**砂漠で生き抜くため、互いに助け合う**部族**に組織化され、多神教を奉じた。そのときアラビア人は、その部族にとっての諸神だけではなく、至上神である「アッラー」をも信仰していた。つまり部族たちは、メッカの「カーバ」といわれる中央の神殿の中にある「黒い聖石」に向かって、アッラーの神に祈っていたのであった。

メッカは**地中海**とインド洋の間の貿易ルートにあたっていた。メッカの地に生まれたムハンマド（マホメット）は、**隊商**の管理人となった。ムハンマドは、豊かな商人たちが以前にも増して、貧しい**氏族**や奴隷の福利に対してわずかな**関心**しか示さないことで緊張が高まっていると考えていた。そして、貧者と豊かな支配者の間の格差に悩んだムハンマドは、丘の上で瞑想を始めたのである。

イスラーム教徒は、瞑想の間にムハンマドが、天使ガブリエルを通じて神からの啓示を受けたと信じている。ムハンマドは、アッラー神がすでにモーゼとキリストには啓示を与えており、それが**ユダヤ教**、キリスト教信仰になったのだと信じた。だが一方で、ムハンマドは、アッラー神が最終的な啓示を与えたのは自分であると確信していた。これらの啓示は、のちにイスラーム教の聖典『クルアーン（コーラン）』に書き下ろされた。

ムハンマドは宗教指導者であると同時に政治指導者でもあった。622年に彼はメッカを離れメディナに向かい、その地で初めて、自分の教えを実践しているグループの支持を得ることとなった。その後、630年に**軍隊**を率いてメッカに戻ると、その住民のほとんどがイスラーム教に改宗した。そして632年にムハンマドが死去したあとも、イスラーム教はアラビア全土からさらにエジプト、北アフリカ、ペルシアへと**拡大していった**のである。

---

1 polytheistic 多神教の、多神教的な　tribal gods 部族ごとの神々　Allah アッラー。イスラーム教の唯一神　worship ... …を崇拝する　Black Stone カーバの黒石。カーバ神殿の外壁に埋め込まれた聖なる赤黒色の石で、巡礼者は接吻する習わし　Mecca メッカ。現在のサウジアラビア西部の商業・宗教都市。イスラーム教徒の聖都　**2** Muhammad ムハンマド〈570?-632〉。アラビアの預言者。神の啓示を受け、唯一神アッラーに対する絶対服従を説くイスラーム教を開いた　meditate 瞑想する　**3** Muslims イスラーム教徒、ムスリム　revelation 神の啓示　Gabriel ガブリエル。キリスト教の七大天使でもある　reveal *one*self to ... …に対して姿を現す　lead to ... …に至る、…を引き起こす　Quran クルアーン。ムハンマドに下された啓示の集大成　**4** Medina メディナ。現在のサウジアラビア北西部の市で、イスラーム第2の聖地　practice（宗教）を実践する　convert to ... …に改宗する

13

North/South America 300～900年

Rise of Mayan Culture (A.D. 300-900)

Thanks to **archaeology** we know that several ancient **civilizations** developed in Mesoamerica. First came the Olmec, who flourished from 1200 B.C. to 400 B.C. They carved massive stone heads of basalt and smaller sculptures from jade. Their engineering skill is **evident** in the long stone channels they built to irrigate their fields.

After Olmec civilization collapsed, some aspects of their tradition **influenced** the Maya, one of the most sophisticated cultures that followed. In the Yucatan Peninsula, beginning around 300 A.D., the Mayan people cleared the dense **rain forests**, developed agriculture, and established **city-states**. There they built impressive temples and pyramids. Mayan civilization spread through southern Mexico and much of Central America.

Among their **accomplishments** is a complex calendar that in its day was as **accurate** as any in existence in the world. They also developed a sophisticated system of writing using hieroglyphs, which includes symbols recording dates in the Mayan calendar. Other hieroglyphs record important historical events. Among the more impressive collections of these symbols cover a royal tomb recording the accomplishments of a ruler named Pascal.

The pyramids the Maya constructed were also based on **solar** events. The Pyramid of Kukulcan, the Plumed Serpent, is aligned with the summer solstice, the longest day of the year. Its diagonal axis aligns with the sunrise on that day.

It is unclear why Mayan civilization declined around 800. Various theories include **civil wars**, invasions, **volcanic activity**, and the collapse of agriculture. Many of their large cities were covered in dense jungle growth and only **rediscovered** in recent centuries. (256)

マヤ文明の繁栄（300 ～ 900 年）

考古学の成果によって、メソアメリカ地域にいくつかの**文明**が発達したことが分かってきた。まず現れたのがオルメカ族で、彼らは前1200年から前400年頃に繁栄した。彼らは玄武岩でできた巨大な石頭像や、それより小さなヒスイでできた彫刻を作った。その技術力は、灌漑のために造られた水路を見ても**明らか**である。

オルメカ文明が滅んだあと、その伝統はいくつかの点でマヤ文明**に影響を与えた**。マヤ文明は、オルメカ文明に続く最も洗練された文化の一つとなった。マヤ人は300年頃、ユカタン半島でうっそうとした**熱帯雨林**を開拓し始め、農業を発達させ、**都市国家**を作り上げたのであった。彼らはそこに荘厳な神殿とピラミッドを建築した。そしてマヤ文明は、メキシコ南部から中央アメリカの大部分まで広がっていったのである。

彼らの**業績**の中には、複雑に作られた暦がある。それは、当時の世界に存在した暦の内でも、最も**正確な**ものであった。さらにマヤ人は、象形文字を使うことで、洗練された書法を発達させたのであった。これらの象形文字は、マヤ暦上の日付が含まれているものもあれば、重要な歴史的事件を記録したものもあり、また感動的な象形文字が集まったものとしては、「パスカル」という名の支配者の治績を記録した王墓がある。

マヤ人が建造したピラミッドは、**太陽の**運行に基礎を置いていた。羽毛の生えた蛇の形をした「ククルカン神」のピラミッドは、一年中で日中が一番長い夏至に合わせて建設されている。つまり、ピラミッドの対角線の延長上に夏至日の日の出の場所が当たっているのである。

マヤ文明がなぜ800年頃に衰退したのかは明らかではない。**内戦**、侵略、**火山の爆発**、農業の衰退などさまざまな学説が見られる。マヤ人の都市の多くは熱帯ジャングルの拡大とともに覆われてしまっており、これらの遺跡はここ数世紀に**再発見された**ものである。

---

1 Mesoamerica メソアメリカ。現在のメキシコ中部からコスタリカ北西部に至る、マヤ族などの文明が栄えた文化領域　Olmec オルメカ人。現在のメキシコに住んでいた古代インディオ　flourish 繁栄する、栄える　basalt 玄武岩　jade ヒスイ　irrigate …に水を引く、…を灌漑する　**2** Maya マヤ人(の)。現メキシコのユカタン半島を中心に神殿ピラミッドが発達し、高度な文明を築いた。16世紀にスペイン人に征服され、文明は破壊された　dense 密集した、濃い　**3** hieroglyph ヒエログリフ、象形文字、絵文字　Kukulcan ククルカン。マヤ人の創造神で羽毛の生えた蛇の形　**4** plumed 羽毛の生えた　be aligned with ... …と一直線に並べられる　summer solstice 夏至　diagonal axis 対角線

14

Asia 802~1431年

The Khmer Empire and Angkor Wat

The historical importance of Cambodia in Southeast Asia is much larger than that of her present reduced territory. Between the 11th and 13th centuries, the Khmer (Angkor) state included much of the **Indochina peninsula** which was composed of large parts of present-day southern Vietnam, Laos, and eastern Thailand. The cultural **influence** of Khmer on other countries was **enormous**.

Jayavarman II established a **foundation** of the Khmer state. He suppressed the **rivalries** among the local chiefs. Yasovarman I, moved the capital to Yasodharapura, to a location that **subsequently** became Angkor—the name derived from the Sanskrit word for "city." Angkor became one of the world's greatest **archaeological sites**, as well as the name for Cambodia's **medieval civilisation**.

In the 12th century the powerful king Suryavarman II **reigned over** Khmer. He was a celebrated **military campaigner** who **enlarged** its territories. Suryavarman's great **achievement** was to build the Angkor Wat Hindu temple complex, still the largest religious structure in the world. However, the cost of building the Angkor Wat temples became a financial **burden** for **successive** Khmer kings, and the country fell into decline.

In 1283 Kublai Khan, the first Mongolian emperor, **invaded** Khmer. In the middle of the 14th century the Ayutthaya Kingdom **was founded** in Thailand. Wars against the Ayutthayas impoverished the Khmer empire and it was destroyed in 1431.

Angkor Wat's complex was repaired by France during the early 20th century, but was then seriously **damaged** during the Cambodian civil wars. In 1992 it was inscribed on the World Heritage List. (251)

クメール帝国とアンコール・ワット

東南アジアにおけるカンボジアの歴史的な重要性は、領土が縮小された現在のカンボジアの重要性に比べてはるかに大きいものがある。事実、11 世紀から 13 世紀にかけて、クメール（アンコール）国は、現在の南ベトナム、ラオス、タイ東部などの大部分からなる**インドシナ半島**の多くを占めていた。クメールの他国に対する**影響力**は**強力な**ものがあった。

国王ジャヤヴァルマン 2 世（? ～ 850）はクメール国の**基礎**を築き、また**ライバル**である地方諸侯を抑えていた。さらにヤショヴァルマン 1 世（在位 889 頃～ 910 頃）は首都を**のちに**アンコールとなるヤショダラプラに遷都している。アンコールの名は、サンスクリット語で「都市」を意味する語に由来していた。アンコールは、カンボジア**中世文明**の代名詞であるとともに、世界最大の**考古学遺跡**の一つとなっている。

12 世紀には、強力な王スーリヤヴァルマン 2 世がクメール**を支配した**。彼はカンボジアの領土を**拡大した**有名な**軍人**であり、その**業績**は、今でも世界最大の宗教建造物であるアンコール・ワットのヒンドゥー寺院集合体を建築したことだった。だがアンコール・ワット寺院建築のための費用は**後世の**歴代国王にとって財政**負担**となり、国は衰退に向かう。

1283 年、モンゴル初代皇帝フビライがクメール**に侵攻した**。14 世紀半ばになると、タイにアユタヤ王国が**建国された**。アユタヤ朝との戦争は、クメール帝国を衰えさせることとなり、帝国は 1431 年に滅亡した。

アンコール・ワット建築集合体は、20 世紀初頭にフランスによって改修が行われたが、カンボジア内戦中に大きな**損害を受けた**。その後、1992 年に世界遺産リストに登録されている。

---

1 her 国を表す代名詞として女性形を使うことがある　Khmer (Angkor) クメール（アンコール）国〈802頃-1432〉。東南アジアのクメール人王朝。鉄器や稲作で国力を高め、高度な文化を誇った　be composed of ... …からなる　**2** suppress …を抑圧する　derive from ... …に由来する　Sanskrit サンスクリット語（文字）。インド＝ヨーロッパ語族に属するインドの言語。梵語ともいう　**3** celebrated 有名な、著名な　Angkor Wat Hindu Temple Complex アンコール・ワット　ヒンドゥー寺院複合体。12世紀に建造されたヒンドゥー寺院のこと。complexは建築物の集合体の意味　fall into (a) decline 衰退する　**4** Kublai Khan フビライ・ハン。元朝初代皇帝〈在位1271-94〉となったモンゴル人　impoverish …を疲弊させる、貧しくする　**5** be inscribed on （リストなど）に登録される

15

Asia 618～907年

The Silk Road during the Tang Dynasty

By the early centuries A.D. seaborne trade **linked** Europe **and** Asia. In the West, the Romans traded gold for jewels, textiles, and **spices** from Asia. In the East, Indians and Sri Lankans obtained gold, **tin**, and spices from Southeast Asia. **In addition to** these sea routes, China traded along the Silk Road, multiple land routes linking China and Europe, channeled by high mountains and freezing deserts. These routes were also affected by military and political factors. As empires in Central Asia rose and fell, so did the **dominant** routes and oasis towns.

These routes passed along the deserts west of Dunhuang. Chinese goods, **particularly** silk, were traded through Persia and India to Alexandria, Rome's chief trading port. But merchandise was not all that was transmitted. The Silk Road also transmitted Buddhism to the lands to the east, including Japan.

The **armies** of the Tang dynasty expanded into Central Asia, dominating longer sections of the Silk Road. China reached a new level of cultural influence at Chang'an, where traders and goods from Europe contributed to a sophisticated culture and advances in **astronomy**, medicine, science and art. Tang models of **centralized government** were taken up by many neighboring peoples, including Silla in Korea and the early Japanese state. At the eastern terminus of the Silk Road, Japan modeled its new capital at Heijo on Chinese **principles** of city planning, and goods from Persia and the Mediterranean **stimulated** Japanese advances in art, aesthetics, and culture. (246)

唐王朝時代の「シルク・ロード」(絹の道)

西洋紀元が始まる頃には、海上交易はすでにヨーロッパ**と**アジア**を結んでいた**。西洋では、古代ローマ人が金(きん)と引き換えに、アジアから宝石、織物、**香辛料**を得ていた。一方、東方では、インド人やスリランカ人が東南アジア地域から、金、**錫**(すず)、香辛料を獲得していた。こうした海路**に加えて**、中国は「シルク・ロード」という名の複数からなる陸路沿いに貿易を行っていたのであった。このシルク・ロードは中国とヨーロッパを結ぶものであり、高山や寒期に凍えるような砂漠が続いていた。こうした陸路は、軍事的、政治的要因に影響されることもあった。つまり、中央アジアの帝国が栄枯盛衰を繰り返している中で、**主要な**陸路やオアシス都市も興亡を続けていたのである。

シルク・ロードは、敦煌(とんこう)の西方の砂漠に沿って広がっていた。中国の産品、**とりわけ**絹は、ペルシア、インドを経て古代ローマの主要な貿易港であるアレクサンドリアに運ばれた。だが、運ばれたのは商品ばかりではない。シルク・ロードは仏教を東洋、中でも日本に伝えることとなったのである。

唐朝の**軍隊**は中央アジアに進攻し、それによってシルク・ロードの半分以上を支配した。そして、首都・長安において、唐朝はより高い水準の文化的影響を受けることになった。ヨーロッパの貿易商人とその商品は、中国の文化を洗練させ、**天文学**、医学、科学、芸術での進歩にも貢献したのである。唐朝が行った**中央集権政治**のモデルは、近隣の人々、朝鮮半島の新羅(しんら(しらぎ))国、そして古代日本に受け入れられた。中でもシルク・ロードの東の終着点である日本は、中国の都市建設の**原則**に従って、平城京という新しい首都を建設したのだった。ペルシア、地中海から渡来した文物は、日本人の芸術、美意識、文化の発展に**刺激を与える**こととなった。

---

1 seaborne 海上交通の、海上貿易の　channeled by ... (道が) …によってつなげられた　**2** Dunhuang 敦煌。中国西方甘粛省の県で、シルク・ロードの要地として発展した　Alexandria アレクサンドリア。アレクサンドロス大王が建設したエジプト北部の港湾都市で、古代世界の学問の中心地　transmit …を伝える　**3** Tang Dynasty 唐朝。中国の大帝国　Chang'an 長安。唐朝の首都の国際的都市。現在の西安(Xian)にあたる　contribute to ... …に貢献する　Silla 新羅。朝鮮半島の南東部におこった古代国家〈356-935〉。4世紀半ばに成立し、668年に高句麗(こうくり)を滅ぼして朝鮮半島を統一　terminus (ラテン語)終点、終着駅　Heijo 平城京。日本の首都〈710-784〉で奈良の都　aesthetics 美学、美意識

16

Asia 1206〜1368年

The Mongolian Empire

The Mongol dynasty was first established by Genghis Khan in 1206. Genghis **united** the Mongolian **tribes**, encroached on the Jin dynasty, and finally took the Jin capital of Yanjing in 1215. Following that, the Mongols extended their rule over China, and Genghis Khan's grandson, Kublai Khan, changed the empire's name to the Yuan dynasty. Kublai Khan attacked the Southern Song and **conquered** the whole of China in 1276.

The Yuan made Khanbalik (now Beijing) their capital. They set up a Chinese-style **administration**, dug massive **canals**, constructed **highways**, and established a post-station system. The territories of the Yuan and other Mongolian sister states, or khanates, established the world's largest empire, which included Kiev, Moscow, Baghdad, Samarkand, Tibet, and Uigur. The **mammoth** empire suffered from **internal dissent**, and finally the Yuan abandoned their capital, and retreated to the Mongolian **plateau** in 1368.

In the far-flung empire, East-West exchange **was promoted**. Islamic merchants carried on a **flourishing** business, and Islamic science **influenced** China by enabling the Yuan to revise and correct their calendar. The **prosperity** of the Mongolian empire attracted European people.

In the middle of the 13th century, Pope Innocent IV **dispatched** Plano Carpini to Karakorum so that the Europeans for the first time knew the realities of the Mongolian empire. Marco Polo, an Italian **trader**, visited Dadu and **served** Kublai. His **dictated** tales of his journeys to the East in the late 13th century were transcribed and widely read as *The Travels*. This book aroused an adventurous spirit among the Europeans and stimulated "The Age of Discovery" in the 15th century. (260)

モンゴル帝国

Audio 16

モンゴル王朝は、1206年、チンギス・ハンによって建国された。チンギスはモンゴル人**部族を団結させ**、金王朝の侵略に向かった。1215年には、金の首都・燕京（えんけい）を奪取する。その後、モンゴルは領土を中国に拡大し、チンギスの孫フビライ・ハンは国名を元と改名した。フビライは中国南部（南宋）を攻め、1276年に中国全土**を手中に収めた**。

元は大都（現在の北京）に首都を置いた。彼らは中国式の**行政**方法を取り入れ、大規模な**運河**を開削し、**幹線道路**を建設し、駅逓（えきてい）の制度を確立したのであった。そして元および「汗国」と呼ばれた元の姉妹国は、世界最大の国家を造り上げたのである。そこにはキエフ、モスクワ、バグダード、サマルカンド、チベット、ウイグルが含まれていた。だが、**巨大**帝国は**内部紛争**に苦しむようになり、1368年には首都を捨て、モンゴル**高原**へ退いていった。

大きく広がった帝国においては、東西交易が**奨励された**。イスラーム商人は**活発に**ビジネスを展開し、イスラーム科学もまた元**に影響を与え**、彼らに暦の改訂をもたらしている。そしてモンゴル帝国の**繁栄**はヨーロッパ人の関心を惹きつけていった。

13世紀半ば、ローマ教皇インノケンティウス4世はプラノ・カルピニ**を**カラコルムに**派遣した**。その結果、ヨーロッパ人は初めて真実のモンゴル帝国を知った。さらにイタリアの**貿易商人**マルコ・ポーロは大都を訪ね、フビライ**に仕えた**。13世紀後半の東洋旅行に関するポーロの**口述**物語は書き写され、『世界の記述』（『東方見聞録』）として広く読まれた。この本はヨーロッパ人の冒険精神をかき立て、15世紀の「大発見時代」をもたらしたのである。

---

1 Genghis Khan チンギス・ハン〈1162頃-1227〉 encroach on ... …を侵略する Jin 金〈1115-1234〉。中国東北地方に存在したツングース系女真族の国で、1127年に北宋を滅ぼした extend …を拡大する Kublai Khan フビライ・ハン。43ページ参照 Yuan dynasty 元〈1271-1368〉 Southern Song 南宋〈1127-1279〉。金に滅ぼされた宋朝が中国南部に復興した王朝 2 set up ... …を設ける post-station system 駅逓制。貨物や郵便を送り届ける制度 khanate 汗国。モンゴルなど北方民族のハン（汗）が統治した国 suffer from ... …に苦しむ abandon …を放棄する retreat to ... …に撤退する 3 far-flung 広範囲にわたる enable ... to *do* …が～できるようにする 4 Pope Innocent IV 教皇インノケンティウス4世〈在位1243-1254〉 Plano Carpini プラノ・カルピニ〈1182頃-1252〉。カトリック修道士 Karakorum カラコルム。モンゴル帝国の首都があった Marco Polo マルコ・ポーロ〈1254-1324〉。ヴェネツィアの商人、冒険家 transcribe …を書き写す、複写する *The Travels*『世界の記述』。『東方見聞録』としても知られる arouse …を刺激する

17

Europe 800〜1000年

The Vikings

After Charlemagne's death, the Carolingian Empire slowly weakened. Charlemagne **held** his empire **together** with strong personal power and **prestige**. But those who inherited the empire fought among themselves to control smaller portions of land. When **invaders** attacked the empire, these local nobles became **the first line of defense**. The result was a new political, social, and economic order called feudalism.

There were three groups of invaders. The Muslims invaded the southern coasts of Europe, gaining power in Spain, raiding southern France, and pressuring Constantinople. The Magyars from western Asia pressed into central Europe, settled in Hungary, and attacked deep into western Europe.

The third group of invaders were the Norsemen of Scandinavia, who are also called the Vikings. Partly due to a **shortage** of land in Scandinavia itself, these Germanic people turned to trade and raiding. Skilled shipbuilders, they constructed long, narrow ships that could carry 50 men. In the 9th century, skilled Viking **warriors** began attacking **coastal** villages and towns, easily defeating local nobles and their small number of warriors. The ships were **shallow** enough to allow them to sail up European rivers and attack **inland** towns as well. To the local residents, these **fierce** warriors were frightening, fast, and unescapable.

By the middle of the 9th century, some of the invading Vikings began to settle in England, Scotland, Iceland, Germany, and France. One group settled at the mouth of the Seine River, forming what is now Normandy. Once they settled, they converted to Christianity, and became part of European civilization. (252)

ヴァイキング

カール大帝の死後、カロリング朝の帝国は徐々に弱体化していった。カール大帝は、その強力な性格と**信望**によって帝国**を維持していた**。ところが彼を継承した者たちは、帝国の一部の領土の支配を巡って争いを続けていた。**侵略者**が帝国を攻撃することがあれば、これらの地方諸侯は**防衛の最前線**に出て戦うことになる。その結果、新しい政治、社会、経済上の秩序である封建制度が生まれたのであった。

侵略者には３つのグループが存在した。まず、イスラーム教徒がヨーロッパ南岸を侵略し、スペインを根拠地にして南フランスを急襲するとともに、コンスタンティノープルにも圧力を加えていた。第二にマジャール人が西アジアから襲来し、中部ヨーロッパに侵攻した結果、ハンガリーに定住し、さらに西ヨーロッパにまで深く攻撃の手を広げていた。

第三の侵略者には、スカンジナビア半島から入ったノルウェー人がいた。彼らはゲルマン族に属し、ヴァイキングとも呼ばれていた。一つにはスカンジナビア半島には農地が**不足**していたこともあって、これらのゲルマン族は通商と掠奪をもっぱらにしていた。ヴァイキングは造船術に優れており、50人は乗り込める長細い船を建造していた。そして９世紀に入ると、優秀なヴァイキングの**戦士たち**は、**海岸沿い**の町や村を襲撃し始め、地方の諸侯勢力や彼らに属する少人数の兵を簡単に打ち負かしてしまった。彼らの船の船底は**浅かった**ので、ヨーロッパの河川を遡上して**内陸部の**町をも攻撃できるほどであった。そのため地方の住民にとって、**凶暴な**ヴァイキングは恐ろしく、敏しょうで、逃れられない存在だった。

９世紀半ばまでには、ヴァイキングの侵略者は、イングランド、スコットランド、アイスランド、ドイツ、フランスに定住し始めていた。その中の一つの集団は、現在ノルマンディーと呼ばれる地域になっているセーヌ川河口に居を定めた。そしていったん定住すると、ヴァイキングはキリスト教に改宗して、ヨーロッパ文明の一翼を担うこととなったのである。

タイトル Vikings ヴァイキング。8-11世紀にヨーロッパ北部および西部海岸を略奪したスカンジナビア人 **1** inherit …を受け継ぐ noble 貴族 feudalism 封建制(度) **2** raid …を攻撃する、急襲する Magyars マジャール族 **3** Norsemen 古代スカンジナビア人。とくにノルウェー人 Scandinavia スカンジナビア、北欧 sail up 船が遡上する frightening ぞっとするような unescapable 逃れられない **4** Seine River セーヌ川 Normandy ノルマンディー。イギリス海峡に面したフランス北西部地方

18

Europe 800年

Charlemagne, Charles the Great

Beginning in roughly 500 A.D., **Germanic tribes** became the most powerful political force in northern Europe. They had moved into the lands of the Roman Empire by the 3rd century, and some had merged with Romans to form Germanic kingdoms. Eventually the Germanic **warriors** excluded the Romans and dominated the small kingdoms. When the Roman armies **abandoned** *Britannia* at the beginning of the 5th century, Germanic tribes called Angles and Saxons, from Denmark and northern Germany, moved in and **settled**.

Only one of the Germanic kingdoms on the European **continent lasted** very long: the kingdom of the Franks. The Frankish kingdom was established around 500 by a strong military leader named Clovis, the first Germanic ruler to convert to Christianity. Clovis won the support of the Roman Catholic Church and unified a new Frankish kingdom that included modern-day France and western Germany.

The Frankish kings lost power over the next two centuries, until a powerful ruler and pious Christian became king in 768. Known as Charlemagne, Charles the Great, he ruled until 814, expanding the Frankish kingdom and creating the Carolingian Empire. **At its height**, this empire covered much of western and central Europe. In 800, he gained a new title: Emperor of the Romans.

Charlemagne was **possibly** unable to write, but he was **intellectually curious**. He became a **patron** of learning, stimulating a renewed interest in the classical culture and literature of the Greeks and Romans. His support of monasteries enabled monks to copy manuscripts of ancient Latin authors, preventing that **legacy** from being lost for all time. (259)

「シャルルマーニュ」として知られるカール大帝

およそ500年頃以降、**ゲルマン諸民族**は北ヨーロッパにおいて最強の軍事力となっていた。彼らは3世紀になるとローマ帝国領内に移動し、中にはローマ人と融合してゲルマンの王国を建国したものもあった。そしてついにゲルマンの**戦士たち**は、ローマ人を押しのけゲルマンの諸王国を支配したのだった。5世紀初めになるとローマ人はブリタニア**を放棄し**、代わってデンマークと北ドイツ出身のアングル族とサクソン族と称するゲルマン民族がブリタニアに侵入し、そこに**定住した**のである。

ヨーロッパ**大陸**において、唯一長く**存続した**ゲルマン族の国は、フランク王国であった。フランク王国は、およそ500年頃、クローヴィスという強力な軍事指導者により建国され、彼はゲルマン系の支配者の中で初めてローマ・カトリックへの改宗者となった。クローヴィスはローマ教会の支持を得て、フランク王国の統一を成し遂げた。このフランク王国は、現在のフランスと西ドイツを含んでいる。

その後2世紀にわたって、フランク王国の君主たちは力を失っていったが、768年には強力な支配者で敬虔なキリスト教徒が王となった。彼はシャルルマーニュ、またの名をカール大帝として知られている。王は814年まで国を統治し、フランク王国の領土を拡大して、カロリング朝を打ち立てた。この王朝の**全盛期には**、帝国は西・中央ヨーロッパを覆い尽くした。そして800年にカール大帝は新しい称号、ローマ皇帝位を獲得した。

カール大帝は**おそらく**字を書くことはできなかったと思われるが、**知的好奇心の強い**人物であった。彼は学問の**愛護者**となり、古代ギリシア、ローマの古典文化や文学に対する関心の復活を進めていった。また彼が修道院を支援したため、修道士はラテン語の著作を書き写し、古典古代の知的**遺産**が永遠に失われるのを防いだのである。

タイトル Charlemagne, Charles the Great シャルルマーニュ、カール大帝〈742-814〉。フランク王国国王〈在位768-814〉、西ローマ帝国皇帝〈在位800-814〉 **1** merge with ... …と同化する、融合する eventually 最終的に、結局は exclude …を排除する *Britannia* ブリタニア、英国の主島であるブリテン島の古称、この島の南部を中心にローマ人は属州を作った Angles アングル族。もともと北ドイツに住み、5世紀以後イングランドに渡って諸王国を立てた Saxons サクソン族。現ドイツのエルベ川河口に居住した民族 **2** Franks フランク族 Frankish kingdom フランク王国。Frankish Empireともいう convert to ... …に改宗する **3** pious 敬虔な Carolingian Empire カロリング朝。メロビング朝に続く王朝で、フランス、ドイツ、イタリアでそれぞれ長く続いた **4** monastery 修道院 enable ... to *do* …が～できるようにする monk 修道士 manuscript 手書きの原稿 prevent ... from *doing* …が～することを防ぐ

19

Europe 1066年

Norman Conquest and Unification

The **Duke** of Normandy, later William the Conqueror, **succeeded** his father as duke in 1035, and crushed the **rebellions** led by neighboring French princes. After establishing his presence in France, William claimed the English throne **in opposition to** the Anglo-Saxon King, Harold. Brilliant **stratagem** and luck enabled William to **overwhelm** Harold at the battle of Hastings and he **was crowned** King of England in 1066.

To beat back **counterattacks** by the armies of the **conquered** Anglo-Saxons, William built castles in many towns, and ordered the **compilation** of **comprehensive** and detailed census records of the lands throughout England—the Domesday Book—to dominate the country **effectively**. As its name shows, the Domesday Book was taken to be as **authoritative** as **the Last Judgment**. It is one of the best **organized statistical** documents in European history. The Anglo-Saxon land system **was abolished**, and a French system was **introduced**.

The Norman Conquest **completely** transformed English politics and society. As a result, a new **monarchy**, new **aristocracy**, new culture, and new language, Norman French, predominated in England, becoming the official language. Although French and English gradually **blended together**, we can still understand the relationships between the **ruling** Normans and the conquered Anglo-Saxons. The derivations of the words beef and pork, which the Norman conquerors ate, were Norman French, while such words as **ox**, **cow**, pig and swine, which the ruled English people kept, derive from Old Anglo-Saxon English. (234)

ノルマン・コンクェストによるイングランド王国統一

のちにイングランド王ウィリアム1世となるフランス貴族ノルマンディー**公**は、1035年に父の爵位**を継承した**。そして公は、近隣のフランス人諸侯の**反乱**制圧に成功した。フランスにおける立場を強固にしたあと、ウィリアムは、アングロ=サクソン王であるハロルド**に対して**イングランド王位を要求する。驚くべき**戦略**と幸運に助けられ、ウィリアムはヘイスティングスの戦いでハロルド軍を**破り**、1066年12月、イングランド王として**即位した**。

征服されたアングロ=サクソン軍の**反撃**を退けると、国の**効果的な**支配のため、ウィリアムは各地に多くの城を建て、「ドゥームズデー・ブック」と呼ばれるイングランド全土にわたる**広汎で**詳細な土地記録簿の**編集**を命じた。その名が示しているように、「ドゥームズデー・ブック」は、あたかも**最後の審判**と同じように**権威ある**ものと見なされていた。実際「ドゥームズデー・ブック」は、ヨーロッパ史上最も**整備された統計**文書の一つとなっている。一方で、アングロ=サクソン人による土地所有制度は**完全に廃止され**、フランスの制度が**導入され**たのであった。

ノルマン・コンクェストはイングランドの政治・社会を**根本から**変えてしまった。結果として、イングランドで支配的となったのは、新しい**君主政治**、新しい**貴族制度**、新しい文化、そして新しい言語だ。新言語のノルマン・フレンチが公式の言語となった。英語とフランス語は徐々に**混ざり合っていった**ものの、今なおわれわれは、**支配者**ノルマン人と被征服民であるアングロ=サクソン人の関係を見ることができる。ノルマン征服者が食した牛肉（beef)、豚肉（pork）の語源はノルマン・フレンチであり、他方、被支配者イングランド人が飼育していた**雄牛**（ox)、**雌牛**（cow)、豚（pig, swine）などの語は古アングロ=サクソン英語なのである。

---

1 William I ウィリアム1世〈在位1066-87〉。征服王とも呼ばれる　claim …（の所有権)を主張する　Anglo-Saxons アングロ=サクソン族(の)。ゲルマン人の一派で、5世紀より大陸からブリテン島に移動し、イングランドに「7王国(Heptarchy)」を建国した　Harold ハロルド〈在位1066〉。ウィリアム1世と戦い敗死　Hastings ヘイスティングス。英国南東部の町　**2** beat back ... …を撃退する、追い払う　census records 一斉調査記録　Domesday Book ドゥームズデー・ブック。1086年にウィリアム1世が作成させたイングランド全土の記録簿　**3** predominate 優勢である　derivation 起源、語源　Norman French ノルマン・フレンチ。中世ノルマン人の用いたフランス語で、1066年以降のイングランドでも使用された　Old Anglo-Saxon English 古英語。Old Englishとも呼ばれ、450年頃から1100年頃まで用いられた

20

Europe/Orient 1000年頃～1291年

The Crusades (1096-1291)

In the 11th century, Christian Europe was divided into the Roman Catholic Church and the Greek Orthodox Church. The former was centered in Rome, the latter in the Byzantine Empire. When Muslim Seljuk Turks began to **threaten** the Byzantine Empire, the Greek Orthodox leader Alexius I called on the head of the Roman Catholic Church, Pope Urban II, for help.

Urban called Christian believers to "take up the Cross" in a **military campaign** against the Muslims in order to **recover** the holy places—particularly Jerusalem—**on behalf of** Christians. He claimed that Muslims had cruelly treated Christian pilgrims in the Holy Land. Actually, Muslims had been tolerant of these pilgrims. But the pope's call resulted in the Crusades. Some joined out of religious idealism; others joined to gain land and wealth, while aiding **fellow** Christians and gaining **salvation**.

The First Crusade left for the Holy Land in 1096. Crusaders **captured** Jerusalem in 1099 and put its Jewish and Muslim **inhabitants**—men, women and children—to the sword. The Muslim mosques in the city were destroyed. The Crusaders established a new kingdom of Jerusalem. More Crusades followed, each with a different **intention** and result. **The Venetians** diverted the Fourth Crusade from the Holy Land to the Byzantine Empire, Venice's trade rival. In 1204, Constantinople was captured and its holy places desecrated. This completely divided the eastern and western branches of Christianity. The Crusades lasted until 1291. The result was a **cruel legacy**. The Muslim world has **inherited** a strong bitterness toward the West that continues to the present. (257)

十字軍（1096 ～ 1291 年）

11 世紀に入ると、ヨーロッパのキリスト教社会はローマ・カトリック教会とギリシア正教会に分裂した。カトリック教会はローマに、ギリシア正教会はビザンツ帝国に中心を置いた。だが、イスラーム国家セルジューク・トルコがビザンツ帝国**を脅かす**ようになると、ギリシア正教会の指導者であるビザンツ皇帝アレクシオス 1 世は、ローマ教会の長・教皇ウルバヌス 2 世に援助を求めたのであった。

教皇ウルバヌスは聖地、とりわけイェルサレムをキリスト教徒**のために奪還すべく**、イスラーム教徒に対する**軍事行動**において、「十字軍に参加すること」を信者らに求めた。教皇は、イスラーム教徒がキリスト教徒の聖地巡礼者を迫害していると主張していた。ところが実際には、イスラーム教徒はこれらの巡礼者には寛大な態度をとっていたのである。しかし、教皇の呼びかけによって十字軍が結成された。その中には宗教的な理想から参加した者もいたし、クリスチャンの**同胞**を助けることで**救済**を得るかたわら、土地や富を得ようとの目的で参加する者もいたのだった。

第 1 回十字軍は、1096 年に聖地に向けて出発した。そして 1099 年には十字軍はイェルサレム**を陥落させ**、ユダヤ人とイスラーム教徒**住民**を男女、子供を問わず虐殺したのである。イェルサレム市内のイスラーム教モスクは破壊された。そして十字軍は、イェルサレムに新しい王国を樹立した。その後、十字軍はさらに続いたが、**意図**と結果はそれぞれ異なっていた。**ヴェネツィア人**は、第 4 回次十字軍の矛先を聖地から、ヴェネツィアの貿易上のライバルであるビザンツ帝国へ転じた。かくして、1204 年にはコンスタンティノープルが陥落するとともに、十字軍はその神聖な場所を汚す行為をしたのである。これにより、東西のキリスト教の宗派は完全に分裂してしまった。十字軍は 1291 年まで続き、その結果として**残酷な財産**を後世に残した。イスラーム教徒は、西洋世界に対する非常に強い敵意**を受け継ぎ**、その敵意は現在に至るまで続いている。

タイトル Crusades 十字軍　1 Greek Orthodox Church ギリシア正教会　the former ..., the latter ～ 前者は…、後者は～　Byzantine Empire ビザンツ帝国〈476-1453〉。東ローマ帝国の別称　Seljuk Turks セルジューク朝トルコ。11-12世紀末に西部および中央アジアを統治した　Alexius I アレクシオス1世。ビザンツ帝国皇帝〈在位1081-1118〉　call on ... for help …に助けを求める　Pope Urban II 教皇ウルバヌス2世〈在位1088-1099〉　2 take up the Cross 十字軍に加わる　pilgrim（聖地）巡礼者　Holy Land 聖地、とくにパレスチナの地を指す　tolerant of ... …に寛大な、寛容な　3 put ... to the sword …を虐殺する　mosque モスク　desecrate …を汚す

21

Europe 1100年代

Zenith of the Papacy

Beginning in the 5th century, the popes of the Catholic Church controlled **affairs** of the Church. But the popes also became **involved in** politics in the **feudal system** of government, often at the expense of their spiritual **duties**. In some cases, feudal rulers even chose nominees for Church offices. The Church was in danger of becoming a political organization rather than a religious organization.

Pope Gregory VII, elected in 1073, decided to make the Church independent of secular power. He **claimed that** he—the Pope—was God's representative over all the Christian world, including its political rulers. He declared that the Church would run its own affairs and choose its own clergy. Not only that, if rulers did not accept this, the Pope would **remove** them.

Gregory VII first came into conflict with King Henry IV of Germany. The German kings had **appointed** high-ranking clergy, especially **bishops**, as vassals, to serve as administrators. These clergymen were the heart of his administration. Pope Gregory issued a decree **forbidding** this. The **fierce** conflict between the Pope and the king **lasted** several decades. Under a new German king and a new pope, a compromise known as the Concordat of Worms was reached in 1122.

Later popes **were** even more **inclined to** strengthen the power of the papacy and build a strong administrative system within the Church. During the papacy of Pope Innocent III, which began in 1198, the Catholic Church reached the height of its political power. The Church used spiritual weapons, such as the interdict, to **exert** secular power across Europe. (259)

絶頂期を迎えたローマ教皇

ローマ・カトリック教会の教皇が教会**問題**を統制し始めたのは、5世紀のことだった。教皇はまた、自分の宗教的な**義務**を犠牲にしてでも、中世**封建制**時代の政治**について関わる**ようになった。場合によっては、封建領主たちが、教会の役職者を指名することさえあったのである。つまりローマ教会は、宗教的な組織というより、むしろ、政治的な組織と化す恐れがあった。

1073年に選出された教皇グレゴリウス7世は、世俗権力から教会を独立させる決意を固めていた。すなわち、グレゴリウスは、政治的な支配者を含むすべてのキリスト教世界において、教皇は神の代理人である**と主張した**のである。さらにグレゴリウスは、カトリック教会が、教会自身の問題を管理し、聖職者を選ぶことを宣言していた。それにとどまらず、政治支配者がもしローマ教会の方針を認めないなら、教皇はその支配者**を罷免する**ことさえ考えていたのである。

グレゴリウス7世は手始めに、ドイツのハインリヒ4世との闘争を開始した。当時ドイツの諸王は、高位聖職者とりわけ**司教**を、行政に当たらせるための家臣として**任命を行っていた**。つまり聖職者は、彼らの政府の中心をなしていたのである。だがグレゴリウスは、この任命**を禁ずる**法令を発布したのであった。そのため教皇と国王の間の**熾烈な**闘争は、数十年の間**続いた**。その後、新しい国王と新しい教皇のもとで、1122年に「ウォルムス協約」という名の妥協が成立した。

その後の教皇も、教皇権をさらに強化しよう**とする傾向にあり**、教皇庁内に強力な行政機構を作り上げた。1198年に始まったインノケンティウス3世の教皇時代、カトリック教会の政治的な権力は最高潮に達した。ローマ教会は、聖務禁止令といった宗教的な武器を用いることで、ヨーロッパ中に世俗的な権力**を行使していった**のである。

タイトル zenith 頂点、絶頂　papacy 教皇権　**1** at the expense of ... …を犠牲にして　nominee 被任命者　**2** Pope Gregory VII 教皇グレゴリウス7世〈在位1073-85〉。教皇権は世俗権力にも及ぶとした　secular 世俗の、現世の　God's representative 神の代理人　clergy(man) 聖職者　**3** come into conflict with ... …と対立する　Henry IV ハインリヒ4世。ドイツ国王〈在位1056-1105〉、神聖ローマ皇帝〈在位1084-1105〉。叙任権闘争でグレゴリウス7世と争って敗れた　vassal 封臣、家臣　decree 教令、教書　compromise 妥協、譲歩　Concordat of Worms ヴォルムス協約。1122年、聖職者叙任権について教皇と国王の間で成立した妥協　**4** Pope Innocent III 教皇インノケンティウス3世〈在位1198-1216〉。第4回十字軍を主導するなど、教皇権隆盛の頂点に立った　interdict 聖務禁止令。洗礼、結婚、ミサなどを行うのを禁止すること

22 Magna Carta and the Birth of the English Parliament

Magna Carta, a Latin term meaning "Great Charter," is a royal charter which was **instituted** by King John at Runnymede. The English **aristocracy** and the city bourgeoisie **were disillusioned with** King John, who was **notoriously** called "John Lackland," because he had lost **significant** territories in France. The **opponents** of King John, however, could not dethrone him and put another leader on the throne.

Instead, they **devised** another means to force King John to surrender to them. They drew up programs to change John's policies and re-establish a new relationship between the **monarch** and his **subjects**. For the first time, the opposition succeeded in defining the limitation to the royal prerogatives through **written law**.

Shrewd John annulled the Magna Carta soon after he was sure that **imminent** danger had passed. The **constitutional significance**, however, was great. To **draft** the Magna Carta, the Lords Spiritual and Temporal and the commoners **participated in** negotiating with John and his **courtiers**. From that time onward, the lords and the **commoners** often **appealed to** the document **whenever** an arbitrary king tyrannized the country and **neglected** civil liberties.

The Magna Carta has **been regarded as** the mutual contract between the governor and the governed. The custom of making laws by discussing political matters had been regarded as an ordinary political process, and **ultimately**, the meeting of the king, the lords, and the commons became English parliaments which developed **uninterruptedly** into the U.K. Parliament of the 21st century. (240)

「マグナ・カルタ」と英国議会の誕生

ラテン語で「大憲章」を意味するマグナ・カルタは、ラニーミードでジョン王（在位1199～1216）が**制定した**勅許状である。イングランド**貴族**、都市市民は、フランスで**多くの**領土を失ったため「欠地王」の**悪名がとどろいて**いたジョン王**に幻滅していた**。だがジョンの**政敵**は、彼を王位から降ろし、別の政治指導者を即位させることができなかった。

その代わり、彼らはジョン王を力づくで屈服させるという別の手段を**編み出した**わけである。政敵たちはジョン王の政策を変更させ、**王**と**臣民**の間の新しい関係を再構築する計画をまとめ、ここで初めて、国王大権を**成文法**で制限することを明らかにした。

しかし、**抜け目ない**ジョン王は、**差し迫った**危険が去ったと確信するや、たちまちマグナ・カルタを無効にしたのであった。それでもなお、マグナ・カルタの**憲法上の意義**は大きかった。この**草案をまとめる**際、聖俗の貴族および平民は、ジョン王とその**廷臣たち**との交渉**に参加した**。そしてこののち、貴族と**平民**は、専制的な王が国政を乱し、市民の自由を**無視したときはいつも**、この文書**に訴える**こととなった。

今日マグナ・カルタは、支配者と被支配者の間の相互契約と**見なされている**。政治的な議論を通じて法律を制定するという慣行は、当たり前の政治的プロセスと考えられるようになり、**最終的には**国王、貴族、平民の会合がイングランド議会となり、それは**途切れることなく**21世紀の英国議会へと発展していったのである。

---

1 charter 特許状、勅許状　King John ジョン王。イングランド・プランタジネット朝の王でフランス王フィリップ2世と戦い、フランス領の大半を失う。1215年貴族、市民に「マグナ＝カルタ」発布を認めさせられた　Runnymede ラニーミード。英国南東部の町　bourgeoisie 中産階級、ブルジョア　dethrone …を退位させる　**2** force ... surrender to ～ …を無理やり～に降伏させる　draw up ... to *do* …するために（計画など）を練る　prerogative 国王のもつ大権。英国の場合はroyal prerogativeと呼ばれる　**3** annul …を廃止する、無効にする　Lords Spiritual and Temporal（英国の）聖俗の貴族　commoner 平民、庶民　arbitrary 専制的な　tyrannize …に圧政をしく、専制支配を行う　**4** the governor and the governed 支配者と支配される者

23

Europe 1300年代～1500年代

Medieval European Universities

The first European university was established in Bologna to teach law. Men from all over Europe came to study. In northern Europe, the University of Paris was the first university **founded**. In the late 1300s, students and teachers left Paris and started their own university at Oxford, England. Popes and monarchs believed that founding universities was an honorable enterprise, so by 1500 there were some 80 universities around Europe.

Students studied what were called the liberal arts at that time: grammar, **rhetoric**, logic, music, **astronomy**, **arithmetic**, and **geometry**. Instructors lectured by reading basic texts and providing explanations. Four to six years later, students took an **oral examination** in order to earn a **bachelor of arts degree**. Further study could lead to a **master of arts**. After 10 years or so, a student might earn a **doctor** of **theology**, law or medicine degree.

Of all **subjects**, theology—the study of Christianity—was the most highly regarded. This involved the **philosophical system** called scholasticism, which tried to show that faith was in harmony with **human reason**. Its aim was to harmonize Christian ideas with the works of Greek philosophers such as Aristotle. The logical method of **theologian** Thomas Aquinas, for example, concluded that without faith, reason could only reveal truths about the physical world, but not about the spiritual world.

William Ockham continued the study of the relation between reason and faith. His study resulted in Ockham's razor, which says that when dealing with opposing theories, the preferred explanation is the one that is simplest. This became the foundation for the scientific method. (261)

中世ヨーロッパの大学

ヨーロッパ初の大学は、法律教育を目的としてボローニャの地に建学され、ヨーロッパ中から学生がここに集まった。一方、北ヨーロッパでは、パリ大学が最初に**発足した**。1300年代後半に入ると、パリを離れた学生と教師がイングランドのオックスフォードの地で新しく大学を始めた。ローマ教皇と国王らは、大学の建学は名誉ある事業であると考えていたため、1500年までにはヨーロッパ中で約80の大学が存在していた。

学生たちは、「自由7科（リベラルアーツ）」と呼ばれるもの、つまり、文法学、**修辞学**、論理学、音楽、**天文学**、**算術**、**幾何学**を学修した。教師は基本的なテキストを読み、その解釈を与えることで講義を行っていた。そして4～6年後、学生は**学士の学位**を得る目的で**口述試験**を受けた。それ以上の教育を受けると、**修士**に達することができた。さらに約10年後には、**神学**、法学、医学の**博士**号が得られた。

すべての**学科**の中でも、神学、言い換えれば、キリスト教学が最も高く評価されていた。神学には、スコラ哲学などの**哲学大系**が含まれており、それは、信仰が**人間理性**と一致することを論証しようとしていた。スコラ哲学の目的は、キリスト教の理念と、アリストテレスらのギリシア哲学の作品を調和させることであった。たとえば、**神学者**トマス・アクィナスの論理学的な方法論によれば、キリスト教信仰がなければ、理性はたとえ物質的な世界の真理を明らかにすることができたとしても、精神世界を解明することはないと結論づけていた。

ウィリアム・オッカムは、理性と信仰の間の関係を研究し続けた。彼の研究は「オッカムのかみそり」という哲学上の原則に至った。この原則は、相対立する理論を論じる場合には、最も単純な理論が選ばれるべきだというものである。その原則は、近代科学の方法の基礎となった。

---

1 Bologna ボローニャ。イタリア北部の都市で、1088年創立の世界最古の大学がある　monarch 国王、君主　honorable 立派な、高潔な　enterprise 事業、企て　**2** liberal arts リベラルアーツ。古代ギリシア・ローマに源流を持ち、学問の基本とされる7つの学科　provide explanations 説明を行う　**3** regard …を評価する　scholasticism 中世のスコラ哲学　in harmony with ... …と調和・一致して　harmonize ... with ～ …と～を調和させる、一致させる　Thomas Aquinas トマス・アクィナス〈1225頃-74〉。イタリアの神学者で、スコラ哲学を大成した　reveal …を明らかにする　**4** William Ockham ウィリアム・オッカム〈1285頃-1349頃〉。イギリスの神学者　Ockham's razor「オッカムのかみそり」　deal with ... …を扱う

24

Europe 1300年代

The Black Death

In 1347, **a fleet of** trading ships arrived in the Sicilian port of Messina, with a crew that was seriously ill. The Sicilians who encountered these crew members were dead within three or four days. They **collapsed** with fever and bleeding ulcers, becoming the first Europeans to die from the Black Death.

No one knew what caused the **disease** or how to cure those who fell ill. They blamed a variety of **sources**, including the water supply, bad air, the rich, the poor, the Devil, and the Jews. Only at the end of the 19th century did people find out the cause was a **bacteria** transmitted by the bites of **fleas** carried by black rats.

Within a year, the plague swept across the Mediterranean and reached England. Within four years, close to 50 million people died from the plague. Between 30 and 50 percent of all of the **inhabitants** of countries across Europe died.

These **death rates** left entire towns empty and left fields unharvested. One region in southern France did not regain its pre-plague population until the 19th century. Humans disappeared from the mountainsides and wetlands, leaving the land to bears, boars, and wolves.

Once the plague passed, **agricultural workers** who survived were much in demand, and they began to demand better pay. When the **landowning classes** in various countries resisted these demands, **peasants**, and townspeople revolted. The result was civil unrest in many cities in England, France, and Italy. The plague pandemic led to higher wages for a large part of the population. (255)

黒死病（ペスト）

1347年、**一団の**貿易船団がイタリア・シチリア島にあるメッシーナの港に到着した。その船員の一人が重病にかかっており、これらの船員の応対をしたシチリア人が3、4日のうちに次々と亡くなった。彼らは高熱と出血性潰瘍で**倒れ**、黒死病（ペスト）で死亡した最初のヨーロッパ人となったのであった。

この**病**の原因も、また患者の治療法についても、誰も知る者はいなかった。そこで彼らは考えられるさまざまな**病因**として、水の供給、悪い空気、金持ち、貧乏人、悪魔、ユダヤ人などをののしった。実際には19世紀末になって初めて、病気の原因が**細菌**であることが分かり、黒ネズミによって運ばれた細菌が**ノミ**の刺し傷によってヒトに媒介されることが原因だと判明した。

それから1年以内にペストは地中海地域を越えて広がり、イングランドにも到達した。4年間で5,000万人がこの病気で死亡した。実にヨーロッパの**住民**の30～50%が死亡したのである。

この**死亡率**の高さのため、町はからっぽになってしまい、農地は耕されないまま放置されてしまった。南フランスのある地域では、19世紀に至るまで、ペスト禍以前の人口には戻らなかったのである。山腹でも湿地帯でも人影がなくなり、土地はクマ、イノシシ、オオカミのなすがままになってしまった。

ペストが終息すると、生き残った**農民**に対する需要は非常に高まった。そこで彼らはより高い賃金を求めるようになった。各国の**地主階級**はこの要求を突っぱねたので、**小作農**や都市の町人は一揆を起こした。その結果、イングランド、フランス、イタリアの諸都市で社会不安が起こるようになった。ペストの大流行は、大部分の人々にとって、賃金上昇をもたらしたと言ってよいであろう。

タイトル Black Death 黒死病(ペスト)　1 Sicilian シチリア島の、シチリア島民　Messina メッシーナ。シチリア島北東部の港町　encounter …と(偶然)出くわす、遭遇する　bleeding 出血する　ulcer 潰瘍　die from ... …が原因で死亡する　2 blame …を責める、…のせいにする　transmit …を媒介する　3 plague ペスト　sweep across ... …中で猛威をふるう　4 unharvested 耕されないで　mountainside 山腹　wetland 湿地帯　boar イノシシ　5 in demand 需要のある　resist …に逆らう、抵抗する　revolt 反乱を起こす　unrest 不安、動揺　pandemic 世界的に流行する

25

Africa 500〜1300年代

Timbuktu and the Kingdom of Mali

Several civilizations evolved in West Africa as traders **exported ivory**, gold, and salt to countries along the Mediterranean and across the Indian Ocean. Around 500 A.D., the Kingdom of Ghana in the upper Niger River **valley** began mining **iron ore** which they turned into **tools** and weapons. The people of Ghana also mined gold, which nomadic Berbers carried in camel caravans across the Sahara **Desert** to ports on the Mediterranean.

Ghana **flourished** for several hundred years before collapsing during the 1100s. Among the trading states that replaced it was Mali, founded in the mid-13th century by a powerful warrior-king named Sundiata Keita. After defeating Ghana and **seizing its capital** in 1240, Sundiata **united** the people of Mali under a strong government. This kingdom stretched from the Atlantic coast east to Timbuktu, a famous trading city that is now Tombouctou.

Mali grew rich and powerful from the gold that the Europeans so eagerly desired and the salt that people north of the Sahara Desert needed to **preserve** food. Under the rich and powerful king Mansa Musa, Mali also became known as a center of learning. Mansa Musa, a **devout** Muslim, led a huge entourage on a pilgrimage to Mecca, **earning a reputation** for the wealth of his kingdom.

Inspired by his pilgrimage, when he returned he turned Timbuktu into a center of Islamic culture and learning, with libraries, mosques, and scholars to study the Quran. Timbuktu came to be recognized as one of the **intellectual** centers of the Muslim world, drawing scholars, artists, and religious leaders from across the **Middle East** and Africa. (262)

ティンブクトゥとマリ王国

アフリカ人貿易業者が地中海沿いに、あるいはインド洋を横断して諸国に**象牙**、黄金、塩など**を輸出していた**とき、西アフリカではいくつかの文明が発達していた。500年頃には、ニジェール川**峡谷**上流でガーナ王国が**鉄鉱石**採掘を始めており、彼らはこれを**道具**や武器として用いていた。ガーナ人は金鉱も採掘しており、遊牧民族であるベルベル人は、この黄金をラクダの隊商でサハラ**砂漠**を横断し、地中海沿岸の港へと運搬していた。

ガーナ王国は数百年にわたって**繁栄を遂げた**が、1100年代には衰退した。そしてガーナに取って代わった貿易立国が、マリ王国である。マリは勇猛果敢なスンジャタ・ケイタ王によって、13世紀半ばに建国された。スンジャタ王は1240年にガーナを破り、**首都を陥落させる**と、強力な政治体制でマリ人民**を結束させた**。王国は大西洋東岸から、ティンブクトゥまで拡大していった。ティンブクトゥは有名な通商都市であり、現在のトンブクトゥ市に相当する。

マリ王国は、ヨーロッパの人々が喉から手が出るほど求めていた黄金と、サハラ砂漠北部の住民が食物を**保存する**ために必要としていた食塩を産したので、富裕な強国に成長していった。豊かで偉大な王、マンサ・ムーサ王（在位1312～1337?）の治世下、マリ王国は学問の中心と見なされるようになった。**敬虔な**イスラーム教徒であったマンサ・ムーサは1324～25年のメッカ巡礼の旅に膨大な数の随行員を引き連れたため、自身の王国の富によって**名声を博する**こととなったのである。

巡礼**に影響された**ためか、王は帰国すると、ティンブクトゥを図書館、モスク、クルアーン（コーラン）の研究者を擁するイスラーム文化・学問の中心に変貌させた。そのため、ティンブクトゥはイスラーム世界の**知性の**中心として認められ、**中東**からアフリカ大陸にわたって研究者、芸術家、宗教指導者を惹きつけたのである。

タイトル Timbuktu ティンブクトゥ。14-16世紀に文化と通商の中心地となった、マリ中部の都市　Kingdom of Mali 西アフリカで栄えたマリンケ族の王国　1 evolve 発展する　Kingdom of Ghana ガーナ王国。現在のマリ共和国西部に存在した古代帝国　Niger River ニジェール川　mine (鉱物)を採掘する　turn ... into ～ …を～に変える　Berbers ベルベル人。トリポリ以西の北アフリカ山地に住む地中海岸民族　caravan 隊商、キャラバン　2 replace …に取って代わる　Sundiata Keita スンジャタ・ケイタ。マリ王国の始祖とされる　stretch from ... to ～ …から～まで広がる　3 Mansa Musa マンサ・ムーサ。マリ王国最盛期の王　entourage 随行員　pilgrimage (聖地への)巡礼

Chapter
3

近世ヨーロッパ
—新大陸の発見／三十年戦争／啓蒙思想の普及

Pre-Modern Period in Europe:
Discoveries of the New World, the Thirty Years' War, and the Enlightenment

マルティン・ルター

26

Europe/America 1492年

Columbus Discovers the New World

Economic motives **inspired** European **expansion** across the seas beginning in the late 14th century. Merchants and government leaders became **particularly** interested in what they called the East, the source of **valuable spices**. Spices were needed to **preserve** and **flavor** food, and spices were expensive. When the Ottoman Turks expanded control of lands of Central Asia and the Middle East that prevented Europeans from gaining access to Asia by land, Europeans began looking for ways to access Asia **by sea**.

One adventurer, inspired by Marco Polo's *The Travels* and a desire for great fortunes, believed he could reach Asia by sailing west. The Italian **explorer** Christopher Columbus convinced Queen Isabella and King Ferdinand of Spain to **finance** an **expedition** across the Atlantic Ocean **in search of** Asian riches.

In 1492, his expedition reached the Bahama Islands and **explored** the islands of Cuba and Hispaniola. Convinced that he had reached the East Indies, he called these islands "the Indies" and their residents "Indios" ("Indians"). Columbus made four voyages to the New World, reaching all of the major **Caribbean** islands and parts of Central and South America. He never realized that he had discovered an **entirely** new continent.

The **far-reaching** impact of his explorations is referred to as the Columbian Exchange. The exchange of plants and animals between Europe and the Americas changed cultures on both sides of the Atlantic and **resulted in** new trade markets. But it also resulted in the introduction of European **diseases** which the Native Americans **had no immunity to**. As a result, **enormous** percentages of these people died. (270)

コロンブスによる新大陸の発見

ヨーロッパ世界が海を越えて**拡大すること**については、経済的な動機が**刺激となって**おり、その動きは14世紀後半には始まっていた。**中でも**商人や政治指導者は、いわゆる「東方」に多大の関心を抱いていた。そこは**貴重な香辛料**の供給源だったからだ。香辛料は食物**を保存し、香りを良くする**ために必要とされ、きわめて高価であった。だがオスマン・トルコが中央アジアと中近東に支配領域を拡大すると、ヨーロッパ人は陸路アジアに入ることができなくなってしまった。そこで彼らは、**海路**でアジアへ入る道を求め始めていた。

マルコ・ポーロによる『世界の記述』(『東方見聞録』)と、巨富を求める欲望に導かれた一人の冒険家は、西方に航海を続けることで、アジアに到達しうると信じていた。イタリア出身の**探検家**クリストファー・コロンブスである。彼はスペインの共同君主、イサベル1世とフェルナンド2世を説き伏せて、アジアの財宝**を求め**、大西洋を横断する**遠征**に**財政支援**を約束させた。

1492年にコロンブスの探検隊はバハマ諸島に達し、さらにキューバ島、エスパニョーラ島**の探検を行った**。コロンブス自身は自分が東インドに到達したと思い込んでいたため、これらの島々を「インド諸島」、住民を「インド人」(インディアン)と呼んだ。コロンブスは新大陸への探検航海を4度行い、主だった**カリブ海**諸島すべてと、中米、南米の一部に到着した。だが彼は、**完全に**新しい大陸を発見したとは考えていなかった。

彼の探検の与えた**広範囲に及ぶ**影響は、「コロンブス交換」と言われている。すなわち、ヨーロッパ・南北アメリカ大陸間の動植物の交換によって、大西洋の東西いずれの側でも文化が変容し、**その結果**、新しい貿易市場が生まれたのだ。しかしこれによって、先住アメリカ人にはまったく**免疫のない**ヨーロッパの**病気**が持ち込まれることにもなった。結果として、先住民族が**非常に高い**割合で病死することになってしまった。

---

1 Ottoman Turks オスマン・トルコ。13世紀末から1922年まで、オスマン帝国としてヨーロッパ南東部・西アジア・北アフリカを支配したトルコ族　prevent ... from *do*ing …が～するのを妨げる　**2** fortune 富、財産　Christopher Columbus クリストファー・コロンブス〈1451?-1506〉。イタリア生まれの航海者　convince ... to *do* …を説得して～させる　Queen Isabella イサベル1世。カスティリャ女王〈在位1474-1504〉　King Ferdinand フェルナンド2世。アラゴン王〈在位1479-1516〉。妻のイサベルとともにアラゴン・カスティリャを統治　**3** Bahama Islands バハマ諸島。西インド諸島の一部　Hispaniola エスパニョーラ島。西インド諸島の島　**4** be referred to as ... …として言及される　Colombian Exchange コロンブス交換。ヨーロッパとアメリカ間の動植物、食物、人などの交換

Magellan and the Voyages of Discovery

Ferdinand Magellan was born to a noble Portuguese family and grew up around the royal court. In 1495 he entered the service of the king of Portugal and enlisted as a volunteer on the first Portuguese voyage to India. He took part in a series of expeditions to the East and was eventually promoted to captain. But he fell from favour with the king, and his career in the service of the Portuguese crown ended.

He renounced his nationality and went to Spain, where he persuaded the king of Spain to finance an exploration voyage to Asian spice markets **via** the Western **Hemisphere**. **Setting sail** in 1519, he went south along the Atlantic coast of South America, seeking a sea passage through the American continent. The passage he found would later be named the Strait of Magellan. His **fleet** continued into the **unexplored** Pacific Ocean. They reached the Philippines safely, but Magellan was killed by indigenous people in 1521. Only one of his five ships survived to return to Spain safely, but Magellan is given credit with being the first to circumnavigate the planet.

His voyage **demonstrated** that all of the oceans were interconnected, so a century of exploration was over. **From this point onward**, nations with access to the Atlantic would have **opportunities** that landlocked powers of central Europe and the Mediterranean did not have. The European age would begin with Spain and Portugal, but they would soon be surpassed by France, Holland and, most importantly, England. (248)

マゼランと探検航海

フェルディナンド・マゼランはポルトガルの名家に生まれ、この宮廷において養育された。1495年、彼はポルトガル国王に仕え、ポルトガルの初めてのインド航海では志願兵として参加したのであった。彼は数次にわたる東インドへの探検に加わり、ついには艦長に昇格したのである。ところが後にマゼランは国王の寵(ちょう)を失ってしまったので、ポルトガル国王に仕えることで、立身出世を遂げることはできなくなった。

マゼランはポルトガル国籍を放棄し、スペインへ赴いた。そこでは、**西半球を経由して**アジアの香辛料市場へ到達する探検旅行をするための資金援助をスペイン国王に求めたのだった。彼は1519年に**出航する**と、南アメリカ大陸の大西洋側の沿岸を南下し、アメリカ大陸を通り抜けられる航路を探した。彼が発見した航路は、のちにマゼラン海峡と名づけられることとなった。マゼラン**艦隊**はさらに**未踏の**太平洋に入っていった。彼らは無事フィリピンに到達したものの、マゼラン自身は1521年、原住民に殺害されてしまった。5隻の船のうち、わずか1隻だけがなんとかスペインに帰還したが、マゼランは初めて地球を周回した人物だと考えられている。

マゼランの航海によってすべての大海は互いにつながっていることが**証明された**。そして1世紀にわたる探検航海時代が終了した。**それからというもの**、大西洋に航海可能な国は、中央ヨーロッパの内陸国や地中海国家にはない**チャンス**を持つことになったのである。すなわち、ヨーロッパの時代はまずスペイン、ポルトガルから始まり、のちに両国は、フランス、オランダ、さらに最も重要な国として、英国に追い抜かれてしまったのだった。

---

1 Ferdinand Magellan フェルディナンド・マゼラン〈1480頃-1521〉。ポルトガルの航海者で、史上最初に世界一周をした遠征隊の隊長　**2** persuade …を説得する　exploration 探検　sea passage 航路　Straits of Magellan マゼラン海峡。南アメリカ大陸南端とティエラ・デル・フエゴ諸島との間にある大西洋と太平洋を結ぶ海峡　indigenous 土着の、先住の　give ... credit …を評価する　circumnavigate …を周航する、周回する　**3** interconnected 互いにつながっている　landlocked 陸地に囲まれた、内陸の　surpass …をまさる、凌ぐ

28

Europe/Asia 1497～1502年

Vasco da Gama Reaches India

Vasco da Gama was the third son of a minor Portuguese **nobleman**. King Manuel I, a patron of the adventurers, sent a Portuguese **fleet** to India to open the sea route to Asia and outflank the Muslims, who had enjoyed a monopoly of trade with India and other eastern countries. Da Gama was appointed to lead the **expeditions**, and sailed from Lisbon in July 1497. His fleet reached Mozambique the following year, and he learned the route to India from Arabic merchants in Kenya. Da Gama reached Calicut in May 1498 and safely returned to Lisbon the next year.

His first voyage was highly **significant**, since the Europeans for the first time reached **spice-producing countries**. His first voyage, however, was not a perfect success. Arab merchants grew cautious of the Europeans' participation in Indian trade, and the Indian king regarded da Gama's tributes as cheap articles. The king did not display much **enthusiasm** for trading with Portugal.

Before da Gama **launched** his second voyage to India in 1502, he had two **options** for contact with Indians. One was peaceful negotiation; the other was to force them to accept trade relations through military power. Da Gama adopted the latter **strategy**. Realizing that the king was reluctant to **negotiate with** him, da Gama's fleet attacked the Indians with artillery and succeeded in terrifying Indians into trade with Portugal. **From then on**, Portugal and other European countries used the threat of military force to do business with the Indians. (246)

ヴァスコ・ダ・ガマ、インド到達

ヴァスコ・ダ・ガマは、ポルトガルの下級**貴族**の三男として生まれた。当時、ポルトガル国王マヌエル1世は冒険家を保護しており、アジアへの海路を開き、インドや東方諸国との貿易を独占していたイスラーム教徒たちを出し抜く目的で、ポルトガル**艦隊**をインドに送った。ダ・ガマは**遠征**の指揮官に任じられ、1497年7月にリスボンを出帆した。翌年、彼の艦隊はモザンビークに行きつき、ケニアにいたアラビア人商人から、インドへの航路を知ったのだった。1498年5月にダ・ガマはカリカットに達し、翌年無事にリスボンに帰港した。

彼の最初の航海はきわめて**重要な**ものだった。というのも、これによってヨーロッパ人は初めて**香辛料の生産国**に到達したからである。だが、その航海も完全な成功とは言えなかった。アラビア人商人は、ヨーロッパ人がインドとの交易に参加することに対して警戒心を増しており、インドの国王はダ・ガマからの捧げ物を安物だと見なしていたのである。そのためインドの国王は、ポルトガルとの貿易には大して**情熱**を示さなかった。

1502年にダ・ガマが2度目のインド航海**を始めた**とき、彼にはインド人と交易するために2つの**選択肢**があった。一つは平和的な交渉であり、いま一つは軍事力を用いてでも貿易関係を認めさせることである。ダ・ガマは2番目の**戦略**をとった。インドの王がダ・ガマ**と交渉する**ことをためらっていると知ると、ダ・ガマは艦砲でインド人を攻撃し、彼らを恐怖に陥れることで、ポルトガルとの貿易関係締結に成功したのだった。**それ以降、**ポルトガルやほかのヨーロッパ諸国は、インド人と商売をするために、軍事力という脅しを用いるようになったのである。

タイトル Vasco da Gama ヴァスコ・ダ・ガマ〈1460?-1524〉。ポルトガルの航海者で、喜望峰を回るインド航路を発見　1 Manuel I マヌエル1世〈1469-1521〉、ポルトガル王〈在位1495-1521〉。マヌエル「大王」またの名を「金持王(the Fortunate)」。ダ・ガマのインド航路発見などを援助し、ポルトガルの黄金時代を築く　outflank (敵など)の裏をかく、…を出し抜く　monopoly 独占(権)　be appointed to *do* ～するよう任じられる　Mozambique モザンビーク。アフリカ南東部にある共和国で、ポルトガル領植民地だったが1975年に独立　Calicut カリカット。インド南西部の港町で、新航路を発見したダ・ガマは1498年に到着　2 grow cautious of ... …に注意深くなる　tribute 貢ぎ物、捧げ物　3 force ... to *do* …に～することを強いる　be reluctant to *do* ～する気にならない　artillery 砲、大砲　succeed in ... …に成功する　do business with ... …と商売をする

29

Europe 1494年

The Treaty of Tordesillas

Following the lead of Christopher Columbus in exploring what turned out to be the New World, the Portuguese and Spanish led the way in exploring new worlds. They were motivated by a desire for riches and personal **glory**, but, at least in name, they claimed that they wanted to spread the holy Catholic **faith**.

This **presented** a problem for the **explorers** of these two countries who claimed to be **conquering** new lands **in the name of** the Catholic Church. A **compromise** was worked out in 1494 that **divided the world into two halves**. Spain and Portugal signed the Treaty of Tordesillas in that year, setting a north-south line through the Atlantic Ocean. Every new land **discovered** west of that line would belong to Spain. Every new land discovered east of it would belong to Portugal. In part, this was because Spain already had a lead in the western part of the Atlantic. Portugal, **on the other hand**, was already exploring down the coast of Africa.

This important treaty gave unclaimed areas in Africa to Portugal, which explains why those areas speak Portuguese, and few speak Spanish. The line also **crosses** the east of South America. Therefore, Brazilians speak Portuguese and the citizens of other countries of the continent speak Spanish.

The treaty also had an impact on Japan, because Portuguese **missionaries extended** their activities first to India and then further east. St. Francis Xavier, representing one of the missionary societies, was the first to reach Japan at Kyushu. (248)

トルデシリャス条約

　のちに「新大陸」として知られることになる地域を探検したクリストファー・コロンブスに続いて、ポルトガル人とスペイン人は、新世界の探索を進めていった。彼らは富と個人的な**名声**を得たいという衝動に突き動かされていたのであるが、少なくとも名目上は、神聖なるカトリック**信仰**の布教が目的だと公言していた。

　このことは、カトリック教会**の名において**、新しい領土を**征服する**のだと主張しているポルトガル、スペインの**探険家**の間に、新たな問題を**提起した**。1494年、両国の間に、**世界を二分する**という**妥協**が成立したのである。両国は同年、トルデシリャス条約を締結し、大西洋上に南北に伸びる線を引いたのだった。そして、その線の西側で**発見された**土地はすべてスペイン領とされ、東側はすべてポルトガル領となった。こうした決定は、一つには、大西洋の西側の探検でスペインが先行していたことが考えられる。**他方**、ポルトガル人はすでにアフリカ沿岸を踏査していたという事情がある。

　この重要な条約の結果、ポルトガルにはアフリカの未発見の土地が与えられることとなった。また、この事実は、なぜこれらの地域のアフリカ人がポルトガル語を話し、スペイン語話者が少ないかの説明となっている。さらにトルデシリャス線は、南アメリカ東部をも**縦断している**。その結果、ブラジル人はポルトガル語を話し、南アメリカ大陸のその他の国の国民はスペイン語を話すことになったのである。

　本条約は、日本にも影響を与えた。というのも、ポルトガル人**宣教師**は、彼らの活動範囲をまずインド**に広げ**、その後さらに東方に拡大したからである。宣教師団の一員であった聖フランシスコ・ザビエルは、初めて日本の九州に到達することになった。

---

1 Christopher Columbus クリストファー・コロンブス。69ページ参照　turn out to be …だということが分かる　be motivated by …に衝動に突き動かされる、動機付けされる　in name 名ばかりの、名目上は　claim that ... …だと主張する　**2** Treaty of Tordesillas トルデシリャス条約。スペイン北西部の町トルデシリャスにおいて、ポルトガルとスペインで非キリスト教圏領土を両国で二分することを定めた条約　belong to ... …に属する　in part 一つには　have a lead リードする　**3** unclaimed 請求者のいない　**4** have an impact on ... …に影響を与える　St. Francis Xavier 聖フランシスコ・ザビエル〈1506-1552〉。イエズス会を創設したスペインの宣教師。1549年に日本へ初めてキリスト教を伝えた

30

Europe/America 1500年代

Portuguese Colonization of Brazil

The Treaty of Tordesillas of 1494 granted to Spain all lands and islands west of a line 370 leagues (1,850 km) west of the Cape Verde Islands. All lands east of that line were granted to Portugal. The land that became Brazil was not discovered by Pedro Alvares Cabral until 1500—after the treaty—and it **automatically** fell within Portugal's jurisdiction.

While the Spanish discovered rich **mineral wealth** in Peru and Mexico, **at first glance**, Brazil did not have much to offer other than land. But the Portuguese discovered that the land was highly suited to the growing of **sugarcane**, which had been introduced by the Arabs to Sicily and Spain, and was then carried by the Europeans to the Canary Islands and then the New World. Sugar had first become highly prized among European **nobility** as a **symbol of status**. Later it became a European **necessity** for sweetening food.

There were not enough Portuguese to develop sugar cane plantations and the local Tupinamba Indians either died from European **diseases** or escaped. The response to the **labor shortage** was the same as in the Spanish Caribbean. From the 1560s, growing numbers of African slaves were imported to replace the Indians. By the end of the century, Brazil was **dependent on** African labor and had become the world's largest **supplier** of sugar. Between 1500 and 1870, some 3.5 million slaves were imported to Brazil, especially from Angola, which is the closest African region. **By comparison**, less than 500,000 slaves were imported to the U.S. (254)

ポルトガルによるブラジル植民地建設

1494年に締結されたトルデシリャス条約は、ヴェルデ岬諸島の西方370リーグ（1,850km）の子午線より西の領土、島嶼（とうしょ）をスペインに与えることを定めていた。そこで、この子午線より東方はポルトガルに与えられた。ペドロ・アルヴァレス・カブラルはこの条約締結後の1500年、のちにブラジルとなる土地を発見したのだが、これは**自動的に**ポルトガルの支配下に入ったのである。

スペインはペルーやメキシコで豊富な**鉱物資源**を発見していた。それに比べて、ブラジルは**当初**、宗主国に提供するものはあまりないように見えた。ところが、ポルトガル人はこの地が**サトウキビ**の栽培に非常に適していることに気づいた。サトウキビの栽培は、かつてアラビア人によってシチリア島やスペインに伝えられており、その後ヨーロッパ人によってカナリア諸島に運ばれ、ついには新大陸に伝わった。砂糖は初め、ヨーロッパ**貴族**の**地位の象徴**として、とても高価な値段がつけられた。のちには、砂糖は食物を甘くするためのヨーロッパ人の**必需品**となったのである。

サトウキビ農園を発展させるにはポルトガルの人口は不足しており、地元南米のトゥピナンバ族の先住民はヨーロッパ人が持ち込んだ風土**病**にかかって死ぬか、逃亡してしまっていた。こうした**労働力不足**に対応するため、スペイン領カリブ海植民地と同様のことが行われた。1560年代以来、先住民に取って代わるべく、より多くのアフリカ人奴隷が輸入された。そして16世紀末までには、ブラジルはアフリカ人労働者**に依存する**ようになっており、世界最大の砂糖**供給地域**ともなっていた。1500年から1870年までの間に、約350万人の奴隷がブラジルに輸入され、ブラジルに最も近いアンゴラ地域からの輸入が際立っていた。**それに比べれば**、アメリカ合衆国への奴隷輸入は、50万人以下にとどまっていた。

---

1 Treaty of Tordesillas トルデシリャス条約。75ページ参照　grant to ... （権利などを）…に与える　line 境界線。ここでは子午線(meridian line)を指す　league （距離の単位）リーグ。英米では1 league＝約4.8km　Cape Verde Islands ヴェルデ岬諸島。アフリカ大陸西岸沖の15の島からなる共和国。元はポルトガル領で1975年独立。　Pedro Alvares Cabral ペドロ・アルヴァレス・カブラル〈1467?-1520〉。ポルトガルの航海者　jurisdiction 支配権、管轄権　**2** not *do* other than ... …以外は～ない　Canary Islands カナリア諸島。アフリカの北西岸沖にあるスペイン領の群島　**3** plantation 大農園　Tupinamba トゥピナンバ族。アマゾン河口からサンパウロ南部にかけて住んでいた先住民の一部族　Angola アンゴラ。アフリカ南西部の共和国で、元はポルトガル領西アフリカ

31

Europe 1300～1600年

The Renaissance

The term Renaissance **refers to** the **profound** transformation of Europe between 1300 and 1600. It describes the **rebirth** of **intellectual** and artistic appreciation of Ancient Greek and Roman culture that gave rise to the modern self-aware individual and to the social and cultural **institutions** of the West today. The Renaissance is usually associated with city-states in Italy, including Florence and Venice. However, **developments** in northern Europe, southeast Asia, Africa and the Islamic world made the Renaissance an international phenomenon. Further, the artistic and cultural **achievements** of the Renaissance were built on the success of exploration, politics, trade, and finance.

Art historians often view the Renaissance as beginning with Giotto in the late 13th century, led by Michelangelo, Leonardo da Vinci and Rafael, and continuing into the late 16th century. The creativity of the Renaissance was not limited to painting, **sculpture**, and **architecture**, but also included items in everyday life from furniture to textiles. There was a **rediscovery** of Greek and Roman models, perspective, and secularism in **subject matter**.

The period also saw major changes in beliefs and attitudes. Intellectual **inquiry** broke free of the **restraints** of Christian Church ideology. Intellectuals considered what individuals could achieve and what virtue was, in politics and in society. They **explored** the ideal of human perfection, at least **physically**, as in Michelangelo's statue of David and his frescos for the ceiling of the Sistine Chapel. The well-rounded so-called Renaissance man could achieve great things in many areas. Leonardo da Vinci, for example, remains known as a painter, architect, sculptor, **mathematician**, and **inventor**. (257)

ルネサンス

「ルネサンス」という語は、1300年から1600年に至る、ヨーロッパにおける**重大な**構造変化**を意味する**。まずそれは、古代ギリシア・ローマ文化の**知的な**面、芸術的な面での高い評価をいま一度**復活**させることであった。そのことこそが、近代人の自己意識をもたらし、今日(こんにち)の西洋の社会・文化の**諸制度**を生み出したのである。現在では、ルネサンスは一般に、フィレンツェやヴェネツィアを含むイタリアの都市国家を連想させるだろう。だが、むしろ北ヨーロッパ、東南アジア、アフリカ、イスラーム世界での**発展**によって、ルネサンスは世界的な現象へと高まったのである。さらに言えば、ルネサンスの美術上、文化上の**功績**は、海外探検や政治、貿易、金融などの成功の上に成り立っていた。

美術史家は、ルネサンスの始まりをしばしば13世紀後半に活躍したジョットに求める。その後はミケランジェロ、レオナルド・ダ・ヴィンチ、ラファエロらによってけん引され、16世紀後半まで続いた。ルネサンスが生んだ創造力の特徴は、絵画、**彫刻**、**建築**にとどまらず、家具や織物といった日用品にまで見られる。そこには古代ギリシア・ローマ時代の理想の**再発見**、透視図法、**主題**に対する世俗主義的なアプローチがあった。

この時代に入ると、信仰や人間の心的態度にも大きな変化を見て取ることができる。知的な**探究**は、キリスト教教会のイデオロギーによる**束縛**を破っていった。知識人は政治・社会において、個々人は何を実現しうるのか、彼らの徳とは何かを考察するようになったのである。彼らは完璧な人間の理想像とは何か**を追い求め**—少なくとも**肉体的な**意味で—それをミケランジェロは自作の『ダヴィデ像』(1501～04)や、システィーナ礼拝堂の天井のフレスコ画(1508～12)に求めた。多様な才能をもつ、いわゆる「万能人」は、多くの分野において偉大な事績を成し遂げた。たとえばレオナルド・ダ・ヴィンチは、画家、建築家、彫刻家、**数学者**、**発明家**として今もなお知られている。

---

1 transformation 変化、変質　appreciation (高い)評価　give rise to ... …を引き起こす　self-aware 自己を意識した　be associated with ... …を連想させる　Florence フィレンツェ　Venice ヴェネツィア　phenomenon 現象　**2** Giotto ジョット〈1267?-1337没〉。フィレンツェの画家・彫刻家・建築家　Michelangelo ミケランジェロ〈1475-1564〉。ルネサンスを代表する彫刻家・画家・詩人　Leonardo da Vinci レオナルド・ダ・ヴィンチ〈1452-1519〉　Raphael ラファエロ〈1483-1520〉。ルネサンスの画家・建築家　perspective 透視図法　secularism 世俗主義　**3** break free of ... …から自由になる　virtue 徳、善　fresco フレスコ画

32

Europe 1400年代

The Medici Family and the City-State of Florence

During the Middle Ages, roughly between 1000 and 1350, Italy had no **centralized monarchy**. Without a single strong ruler who could unify the Italian **peninsula**, several independent city-states **emerged**, especially in northern Italy. The most **prosperous** were Milan, Venice, and Florence.

In Florence, during the 14th century, a small group of wealthy merchants took control of the government. They dominated the region of Tuscany and waged successful wars against their rivals. Cosimo de' Medici, whose **fortune was rooted in banking**, took control of Florence in 1435. **For generations thereafter**, the Medici pulled the strings behind the local government.

Under Cosimo, and later his grandson Lorenzo, Florence **flourished** as the cultural center of Italy. The city prospered on commerce and the manufacturing of cloth. The Medici family served as patrons for great artists of the Italian Renaissance, including Brunelleschi, Donatello, and Michelangelo.

During the late 1400s, Florence began to **face competition** from English and Flemish cloth makers. This drove **profits** down and the people of Florence began to turn away from the Medici family, who came to be seen as **corrupt** and **abusive** with their wealth. A **preacher** named Savonarola began to **voice** the people's **discontent** with the Medici. He called for strict **regulations** on painting, music, books, and personal behavior. When he attacked the **corruption** of the Catholic Church, however, he was accused of heresy and **eventually** sentenced to death. The Medici family returned to power. (236)

メディチ家とフィレンツェの都市国家

中世の時代、大まかに言うならば1000年から1350年頃、イタリアには**中央集権的な君主**は存在しなかった。イタリア**半島**を統一することのできる一人の強力な君主がいなかったことから、複数の独立した都市国家が、とくに北イタリアに**出現した**。中でも最も**繁栄した**のが、ミラノ、ヴェネツィア、フィレンツェであった。

14世紀のフィレンツェでは、富裕な商人からなる小さなグループが、政治を牛耳っていた。フィレンツェはトスカーナ地方を支配するとともに、フィレンツェのライバルたちに戦争をしかけ、勝利を収めたのであった。**銀行業で財を成した**コジモ・デ・メディチは、1435年にフィレンツェ市の支配者となった。**その後、数世紀にわたって**、メディチ家は裏で市の政府を操った。

コジモとその孫のロレンツォの下で、フィレンツェはイタリアの文化の中心地として**繁栄した**。市は金融業と織物業で栄えた。メディチ家はイタリア・ルネサンスを代表する大芸術家のパトロンの役割を果たし、その中には、ブルネレスキ、ドナテッロ、ミケランジェロらが含まれていた。

1400年代後半になると、フィレンツェは、イングランドやフランドルの織物製造業者との**競争にさらされる**ことになる。これによってフィレンツェの**利潤**は低下し、市民は次第にメディチ家から離反し始めた。市民からすれば、メディチ家は**堕落して**おり、市の富を**乱用している**ように見えたのである。サヴォナローラと称する**説教師**が、メディチ家に対する民衆の**不満**を**公然と述べ**始めた。さらにサヴォナローラは、絵画、音楽、書籍、個人の行動に至るまで、厳しい**規則**を設けるべきだと要求した。だが彼がカトリック教会の**腐敗**を攻撃すると、異端の罪で告発され、**結局は**死刑の宣告を受けることとなった。そしてメディチ家は、権力の座に返り咲いたのである。

---

1 Milan ミラノ。イタリア北部の都市　2 take control of ... …を支配する　Tuscany トスカーナ地方。イタリア中部西海岸に位置する　wage (戦争など)を行う　Cosmo de' Medici コジモ・デ・メディチ〈1389-1464〉。フィレンツェの銀行家・政治家で、美術や文学のパトロン　Medici メディチ家　pull the strings 裏で糸を引く　3 serve as ... …としての役割を果たす　Brunelleschi ブルネレスキ〈1377-1446〉。フィレンツェの建築家　Donatello ドナテッロ〈1386?-1466〉。イタリア初期ルネサンス最大の彫刻家　Michelangelo ミケランジェロ。79ページを参照　4 Flemish フランドル地方の。現在のベルギーを中心とした地域　Savonarola サヴォナローラ〈1452-98〉。イタリアのドミニコ会修道士。宗教改革を企てたが異端者として火刑に処せられた　call for ... …を求める、要求する　be accused of ... …の罪で告発される　heresy 異端　(be) sentenced to death 死刑判決を受ける

33

Europe 1500年代

The Venetian Republic

Early Mediterranean cities competed for advantage in the **valuable** spice trade with southeastern Asia. A small group of merchants built a republic on a set of small islands in a lagoon in the Adriatic Sea, **gradually** connecting the islands with bridges and canals. They called it Venice. The lagoon was **shallow**, so the city was protected from attack. From this location, the merchant families sought to control the trade between the Near East and Europe. They made Venice into an international **power**, with a **mighty navy** to enforce its right to trade.

Stimulated by their rival Byzantium to display their wealth, the merchant-**aristocrats** constructed the St. Mark's Cathedral where they interred the relics of the St. Mark, founder of the Christian Church in Alexandria, Egypt. The Venetians took him as their patron saint and built an elegant church at the center of their island-city.

The Venetian merchants developed outposts in the Greek islands and replaced their original narrow galleys with copies of Arabic three-mast ships. The latter carried **three times** the cargo of the earlier ships. East-west trade in paper, gold, glass, carpets, silks, pepper, and slaves brought enormous **prosperity** to Venice from the 14th century **onward**, especially after the Crusades. Venice fought **competitors** like Florence and Genoa for dominance in trade from the **Red Sea** and the Indian Ocean.

Only after European powers facing the Atlantic—Spain, Portugal, **the Netherlands**, England and France—began their explorations in the 1500s, did the great Italian trading city of Venice go into decline. (251)

ヴェネツィア共和国

近代初期の地中海沿岸諸都市は、東南アジアとの**高価な**香辛料貿易で優位に立とうと、互いにしのぎを削っていた。その頃、アドリア海に面した潟(かた)にあるいくつかの小島に、少数の商人グループが共和国を建国していた。この共和国は、橋や運河によって、**徐々に**これらの島々をつないでいった。この国はヴェネツィアと命名された。**浅い**潟によってヴェネツィア共和国は外敵から守られており、この立地を生かして、いくつかのヴェネツィア商人の門閥が、近東とヨーロッパの間の貿易支配を企てていた。彼らは**強力な海軍**によって、自国の貿易上の権利を他国に強制的に認めさせ、世界的な**強国**になっていった。

自らの豊かさを誇示するライバル、ビザンティウム**に触発されて**、ヴェネツィア共和国の商人**貴族**はサン・マルコ（聖マルコ）寺院を建造した。ここには、エジプト・アレクサンドリアのキリスト教教会の創設者、聖マルコの遺骸が埋葬された。ヴェネツィア人は聖マルコを守護聖人と考えており、「島の都」の中心に優雅な教会を建てたのである。

ヴェネツィア商人は、ギリシアの島々で居留地を発展させる一方で、狭苦しいガレー船を、3本マストのアラビア風の船を模倣した船と取り換えた。その新しい船は、これまでのものより**3倍の**貨物を運搬することができた。すると、紙、黄金、ガラス、じゅうたん、絹、コショウ、奴隷などの東西間の貿易は、14世紀**以降**、とりわけ十字軍以降、ヴェネツィア共和国に大いなる**繁栄**をもたらした。そのとき、ヴェネツィアは、**紅海**やインド洋からの貿易の支配権をめぐって、フィレンツェ、ジェノヴァといった**競争相手**と戦っていた。

しかし、スペイン、ポルトガル、**オランダ**、イングランド、フランスといった大西洋に面する国々が1500年代に探検航海を始めると、ヴェネツィアに代表されるイタリア貿易都市が衰退に向かっていったのである。

---

1 compete for ... …を得ようと争う　lagoon 潟、礁湖　Adriatic Sea アドリア海　seek to *do* 〜しようと努める。soughtはseekの過去・過去分詞形　Near East 近東。南西アジア、エジプトなど、かつてオスマン帝国に占領されていた地域　enforce ... to *do* 〜するための…を実行する　**2** Byzantium ビザンティウム。ボスポラス海峡の左岸にある黒海の入口を制する要害の地　St. Mark's Cathedral サン・マルコ寺院　inter …を埋葬する　relic（聖人などの）遺骨、聖遺物　St. Mark 聖マルコ　**3** outpost 居留地、前哨地　galley ガレー船。奴隷や囚人にこがせた二段オールの帆船　Genoa ジェノヴァ。イタリア北西部の港湾都市　**4** go into (a) decline 衰える

34

Europe 732～1492年

Moors in Spain and the Reconquista

When Muhammad died in 632, Islamic territory consisted of the western half of the Arabian **Peninsula**, including Medina and Mecca. Muhammad's **successors**, rulers known as caliphs, expanded the Islamic movement east into Persia and India and north into Asia Minor. The Islamic caliphate also expanded through northern Africa into Morocco. By 725 most of Spain had become a Muslim state.

The caliphate split into rival groups, and in Spain a separate Emirate of Córdoba was established. With a population of 200,000, Córdoba, the capital, was the largest city in Europe after Constantinople, with an impressive palace and mosques for **worship**. The finest Islamic architecture in Islamic Spain, however, is the **Alhambra** in Granada. Built in the 14th century, every **surface** is decorated in floral and **abstract** patterns, in **geometric** patterns called arabesques.

Sometimes there was peaceful **coexistence** between Christian kings and Moorish allies, and there was no strong sense of religious exclusiveness. But in the mid-12th century, Christian kingdoms took Toledo, making its great mosque into a Christian cathedral. The process of Reconquest, or Reconquista, of Spain **was strengthened by** Ferdinand of Aragon and Isabella of Castile. When they married in 1469, they formed a **dual** Catholic monarchy and to achieve political unity, they **pursued** a strict conformity to Catholicism. In 1492, they **expelled** all Jews who did not convert to Catholicism. After defeating the Muslim army in Spain, they gave the Muslims a choice: convert to Catholic beliefs or enter **exile voluntarily**. By 1502, however, Muslims who did not convert were expelled from all of Spain. (257)

スペインにおけるムーア人と「レコンキスタ」(国土回復運動)

ムハンマドが632年に亡くなったとき、イスラーム教徒の領土はメディナとメッカを含むアラビア**半島**の西半分を占めていた。その後、「カリフ」と呼ばれるムハンマドの**後継者たち**は、イスラーム教の支配地域を東はペルシア、インド、北は小アジアへと拡大していった。カリフ領はモロッコなど北アフリカへも広がっていき、725年までには、スペインもまたイスラーム国家となったのである。

のちにカリフ領は、相対立する地域に分裂してしまい、スペインでは独立した「コルドバ首長国」が建国された。20万人の人口を擁する首都コルドバ市は、壮大な宮殿と**礼拝**用のモスクを持ち、コンスタンティノープルに次ぐヨーロッパ第二の都市となった。しかし、イスラーム時代のスペインにおいて最も美しい建築物は、グラナダにある**アルハンブラ宮殿**だった。14世紀に建てられた宮殿の**表面**はすべて、花柄や**抽象的な**模様、アラベスクと言われる**幾何学的な**模様で彩られた。

キリスト教徒の国王とイスラーム教徒の国家が平和的に**共存**することもあったし、両者の間にはそれほど強い宗教上の排他意識があったわけではない。だが、12世紀半ばに入ると、キリスト教徒の王国はトレドを占拠し、そこにある巨大なモスクをカトリックの大聖堂に変えてしまった。そして、スペイン人によるキリスト教徒国土回復運動(レコンキスタ)は、アラゴン王フェルナンドと、カスティリャ女王イサベル**によって強められた**。1469年に2人が結婚したことで、アラゴンとカスティリャは**連合**王国となり、両国は政治的な統一を進めるために、カトリック信仰の強化**に努めた**。1492年にイサベルとフェルナンドは、キリスト教への改宗を拒むユダヤ人の**国外追放をした**。スペインにあるイスラーム軍を破ると、両王はイスラーム教徒に対して、カトリック信仰に改宗するか、**自発的に亡命**するかの二者択一を迫った。1502年までに改宗を認めなかったイスラーム教徒は、強制的にスペイン領土から追放されたのであった。

タイトル Moors ムーア人。アフリカ北西部に住み、8世紀にスペイン侵攻をして定住したイスラーム教徒のこと　Reconquista レコンキスタ。キリスト教徒のイスラーム教徒に対する国土回復運動　1 caliph カリフ。イスラーム教徒の政治的・精神的首長　Asia Minor 小アジア。地中海と黒海に挟まれた半島　caliphate カリフの地位、支配　2 split into ... …に分かれる　emirate 首長国　Córdoba コルドバ。スペイン南部の都市、また同名の南スペインにあったイスラーム国家　Granada グラナダ。スペイン南部にあったムーア人の王国の首都　arabesque アラベスク。アラビア風模様の装飾　3 religious exclusiveness 宗教的排他性　Toledo トレド。スペイン中央部の都市　conformity 服従

35

Europe 1450年頃

Gutenberg and the power of the printed word

The rise of **humanism** and the **invention** of the moveable-type printing press around 1450 made possible an important **means** of communication: the book. In Mainz, Germany, goldsmith Johann Gutenberg, calligrapher Peter Schöffer, and financier Johann Fust, collaborated in a business that replaced **hand-drawn** calligraphy and **hand-carved** block printing. It changed communication through listening, looking, and speaking into a culture that interacted across distances by reading and writing.

Printing also made possible the mass diffusion of maps, scientific **tables**, architectural **plans**, and medical drawings. By 1575 Martin Luther's printed German translation of the Bible had sold an estimated 100,000 copies, using the vernacular rather than the Latin of the church elite so that more people could read it.

Until the 15th century, **literacy** and books were confined to an intellectual elite in major urban centers throughout Europe. By the end of the 16th century, however, there was a revolution in both elite and popular writing, and a change in how knowledge was transmitted. Medieval scholastic tradition gave way to the promotion of the study of classic works by individuals who sought to be **cultivated**, civilized and successful—in politics, trade, and religion. In short, humanistic education was helpful in promoting one's career.

Among the many **significant** works published was Copernicus' **revolutionary** book *On the Revolutions of the Heavenly Spheres* (1543) showing that the earth is not at the center of the universe but that the earth and other planets rotate around the sun. Two of the most **influential** books in the history of humanism and political history are from this period: Machiavelli's *The Prince* (1513) and Thomas More's *Utopia* (1516). (269)

グーテンベルクと印刷された言葉の力

ヨーロッパ**人文主義**の発達と、1450年頃の可動式活版印刷術の**発明**によって、「書籍」という重要なコミュニケーション**手段**が登場した。ドイツのマインツにおいて、金細工師ヨハン・グーテンベルク、書家ペーター・シェーファー、金融業者ヨハン・フストの3人が共同でビジネスを始めたことで、活版印刷術はそれまでの**手書きの**書法や**手彫りの**木版印刷に取って代わった。活版印刷術は、それまでの「聞く・見る・話す」行為を通じたコミュニケーション手段から、「読む・書く」行為によって、遠く離れていても情報を交換できる文化へと変容させたのであった。

印刷術はさらに地図、科学的な**図表**、建築**設計図**、医学的な描写の普及をも可能にした。1575年までにマルティン・ルターの印刷したドイツ語訳聖書は、およそ10万部を販売したとされている。ドイツ語訳聖書は教会エリートの用いるラテン語ではなく、日常語であるドイツ語を使用していたため、より多くの人々がこれを読めたのである。

15世紀まで、**文字の読解**と書籍は、ヨーロッパのどこでも大きな都市の知識人エリートに限定されていた。ところが、16世紀末までにはエリートの著作と民衆の著作の双方においての変化、つまり、いかに知識を伝達するかについての革命が起こったのである。中世の教会スコラ的な伝統は、政治・貿易・信仰などで教養を身につけて**洗練され**、成功しようと努める個人が、古典の研究を促進することに道を譲った。要するに、人文主義的な教育は、人々のキャリアを向上させるのに役立つものとなったのである。

刊行された多くの**重要な**著作の中でも、コペルニクス天文学の**革命的な**書『天体の回転について』(1543) は、地球が宇宙の中心ではなく、地球とほかの惑星が太陽の周りを回転していることを示した。さらに人文主義の歴史と政治史の領域において、大きな**影響力を持つ**2つの著作がこの時代に現れている。マキァヴェリの『君主論』(1513) とトマス・モアの『ユートピア』(1516) だ。

---

1 movable-type 可動活字の goldsmith 金細工師 calligrapher 書家 Peter Schöffer ペーター・シェーファー〈1425?-1502〉。ドイツの印刷業者 calligraphy 書法、カリグラフィー block printing 木版印刷 **2** diffusion 普及、流布 vernacular 日常語、土地言葉 **3** be confined to ... …に限定される transmit 伝える、送る scholastic 中世スコラ的な、スコラ学 give way to ... …に道を譲る **4** (Nicolaus) Copernicus (ニコラウス・)コペルニクス〈1473-1543〉。ポーランドの天文学者 rotate 周回する (Niccolò) Machiavelli (ニッコロ・)マキァヴェリ〈1469-1527〉。イタリア・フィレンツェの外交家・政治家・政治学者 Thomas More トマス・モア〈1478-1535〉。英国の政治家・人文主義者

36

Europe 1500年代

The Protestant Reformation

Although the intellectual Erasmus was a Catholic priest, he was critical of some of the church's beliefs, such as **relics**, **fasting**, and **pilgrimages**. He believed they were not as important as **inward** religious feeling and learning how to live good lives on a daily basis. This new piety, he believed, would "reform" the Church and society, too.

Another Catholic, Martin Luther also struggled with how to obtain **salvation**, or acceptance into Heaven. He studied the Bible **intently** and came to the **insight** that humans were not saved by the good works that they did, but through their **faith** in God. He called this idea "justification by faith alone," and it became a **fundamental** idea of the Protestant Reformation. The only source of truth, Luther **contended**, was studying the Bible.

Luther did not intend to break with the Catholic Church. He simply wanted to rid it of **practices** such as holding unnecessary ceremonies and selling indulgences to raise money. When he posted his Ninety-five Theses on the door of a church in Wittenberg in 1517, they were quickly printed by the **presses** recently **developed** by Gutenberg and spread throughout Germany.

Luther's religious movement became a revolution among German rulers with political and economic motives. Religious **warfare broke out** between rulers of territories who **supported** the Catholic Church and those who supported Luther's ideas out of a dislike of papal control. The conflicts came to an end in 1555 with the Peace of Augsburg, which allowed the German states to choose between Catholicism and **Lutheranism**. (253)

プロテスタント宗教改革

知識人エラスムスは確かにローマ・カトリックの聖職者であったが、カトリックの**聖遺物**、**断食**、**巡礼**などの慣行のいくつかについては批判的であった。彼にとっては人間の**内なる**宗教的感情と、日々いかに生きるべきかについて学ぶことの方が重要であると考えていたのであった。エラスムスにとっては、こうした宗教的に敬虔な気持ちこそが、教会と社会を「改革」すると信じて疑わなかったのである。

マルティン・ルターもまたカトリック教徒で、やはりいかにして**救い**が得られるのか、いかにして天国に行けるのかについて、苦しみもがいていた。ルターは聖書を一**心不乱に**読んだ結果、人は過去に行った善行ではなく、神への**信仰**を通して救われるとの**直観**に達したのである。彼はこれを「信仰によってのみ義とされる」観念と称している。そして、信仰義認はプロテスタント宗教改革の**根本**理念となった。ルターは、真実に至る唯一の道は聖書を学ぶことである**と主張していた**。

ルターはカトリック教会と断絶する意思は持っていなかった。彼はただ不必要な儀式を行うことや、金集めのために免罪符を売るという**慣行**を教会から除くことを望んでいただけだった。だが、彼が1517年にヴィッテンベルク教会の扉に『95カ条の論題』を掲示したとき、それは当時**開発された**ばかりのグーテンベルクの**印刷機**によってただちに印刷され、ドイツ中に流布された。

ルターの宗教運動は、政治や経済的な動機を持ったドイツの支配者にとっては、革命にほかならなかった。そして、カトリック**を支持する**地域の支配者と、ローマ教皇の統制を嫌ってルターの考えに賛同した支配者の間に宗教**戦争**が**勃発する**。この争いは1555年のアウグスブルクの和議で終結をみた。和議によって、ドイツの領邦国家群は、カトリックか**ルター派**のいずれかを選択することが認められたのである。

---

1 Erasmus エラスムス〈1469頃-1536〉。ネーデルラント出身の人文学者で『愚神礼賛』などの著作がある　piety 神への敬虔、敬神　**2** Martin Luther マルティン・ルター〈1483-1546〉。ドイツ宗教改革の祖　struggle with ... …に苦労して取り組む　justification by faith alone 信仰義認論。人は神への信仰によってのみ救われるという考え方　**3** break with ... …と絶交する　rid ... of ～ …から～を取り除く　indulgence 免罪符、贖宥状　post …を提示する、投稿する　Ninety-five Theses『95カ条の論題』。ルターがヴィッテンベルク城の教会扉に掲げたカトリック教会批判　Wittenberg ヴィッテンベルク。ドイツ中東部の町　Gutenberg グーテンベルク。87ページ参照　**4** papal ローマ教皇の。Popeの派生語　come to an end 終わる　Peace of Augsburg アウグスブルクの和議

37

Europe 1500年代

The Counter-Reformation

The Catholic Church became revitalized in the 16th century, **regaining** some of the support it lost during the Protestant Reformation. Referred to as the Counter-Reformation, this change had three main **elements**: the Jesuits, reform of the papacy, and the Council of Trent. Ignatius of Loyola formed the Society of Jesus, known as the Jesuits, a group of Catholic believers who **vowed** complete **obedience** to the pope. The Jesuits used education to spread their message throughout Europe and Asia. One **co-founder** of the Jesuits, Francis Xavier, took the Catholic message to India and became the first **missionary** to Japan, arriving in Satsuma **domain** in 1549. The Jesuits later established Sophia University in Tokyo.

During the Renaissance, the papacy had become involved in **dubious** financial transactions and Italian political and military affairs. Pope Paul III formed a **commission** in 1537 to determine what had gone wrong. The commission placed the blame on **corrupt** policies inside the papacy.

To remedy this, Paul III established the Council of Trent in 1545. The group included theologians and leaders from all levels of the church. They met off and on for 18 years. Their resulting decrees gave the Catholic Church a clear body of beliefs and unity under the pope's leadership. They decreed that both faith and good works were necessary for **salvation**. They **upheld** the seven sacraments of the church and the celibacy of the **clergy**. They strengthened belief in the use of indulgences, although selling of indulgences **was prohibited**. Catholics were then prepared to defend their beliefs against the Protestants. (256)

対抗宗教改革

カトリック教会は16世紀になると再び活性化された。彼らはプロテスタントによる宗教改革によって失われた支持をいくぶんか**取り戻した**のである。これが対抗宗教改革と言われるものだが、この変化は3つの主な**要素**から成り立っていた。それはイエズス会、教皇庁の改革、トリエント公会議であった。まずイグナティウス・ロヨラはイエズス会として知られる組織を作り出した。これは、ローマ教皇に絶対的な**忠誠を誓う**カトリック信者のグループであった。イエズス会は教育を用いてヨーロッパ、アジアに広く自らの主張を広めた。イエズス会の**共同創設者**の一人であるフランシスコ・ザビエルは、カトリックの主張をインドに伝え、さらに日本への最初の**宣教師**となった。彼は1549年に薩摩**藩**に到着したのである。後年、イエズス会は東京に上智大学を創設している。

ルネサンス期において、教皇庁は、**怪しげな**金融取引やイタリアの政治、軍事問題に介入してきた。1537年、教皇パウロ3世は、不正が何であったのかを確定するための**委員会**を設けた。委員会は、非難の矛先を教皇庁内部の**腐敗した**政策に求めたのである。

これを正すために、パウロ3世は1545年にトリエント公会議を招集した。一団には教会のすべての階級出身の神学者や指導者が含まれていた。彼らは18年にわたって断続的に会合し、その結果として、教会教書はカトリック教会を、教皇のリーダーシップによる信仰と連帯の団体として明確に示した。彼らは教書において、信仰と善き労働の両者が**救済**のためには必要であると示している。さらに、教会の7つの秘跡と**聖職者**の独身主義**を是認した**。ローマ教会は、免罪符の使用についての確信を強めたものの、その販売については**禁止した**。かくしてカトリック教会は、プロテスタントに対して自らの信仰を擁護する備えができあがったのである。

---

1 revitalize …を再活性化する　Jesuits イエズス会(修道)士。カトリックの修道会の一つ「イエズス会」に属する人々　papacy ローマ教皇庁、教皇権　Council of Trent トリエント公会議〈1545-63〉。近世カトリック教会の教義の確立と組織の改革を行った会議　Ignatius of Loyola イグナティウス・ロヨラ〈1491-1556〉。スペインの軍人・カトリックの聖職者　Francis Xavier フランシスコ・ザビエル〈1506-52〉。イエズス会のスペイン人宣教師。インド・日本で布教した　Sophia University 上智大学。日本初のカトリック系大学　**2** transaction 取引　Pope Paul III パウロ3世〈在位1534-49〉。イングランド王ヘンリ8世を破門し、対抗宗教改革を推進するなどした　place the blame on ... …に責任を負わせる　**3** remedy …を改善する　theologian 神学者　off and on 断続的に　decree 教書・教令(を出す)　seven sacraments 7つの秘跡。洗礼、堅信、聖体、ゆるし、病者の塗油、叙階、婚姻のこと　celibacy 独身主義　indulgence 免罪符、贖宥状

38

Europe 1600年代

Copernicus, Kepler and Galileo

In 1949 Herbert Butterfield, a **celebrated** British scientific historian, **advanced** the concept of "Scientific Revolution" in modern Europe. **According to** his study, such modern European scientists as Copernicus, Kepler, and Galileo **transformed** our view of the universe. Nicolaus Copernicus denied the geocentric model, and advocated heliocentrism. He refused to have his study on heliocentrism published, and his book **was brought out** posthumously. After his death, astronomy made great strides. Johannes Kepler set up new astronomic laws: his laws of planetary motion. The laws explain **precisely** the motion of the planets in the solar system and validate heliocentrism.

Galileo Galilei was a **respected** Italian scientist, but in 1610 his life was completely changed. In the previous year, a Dutchman invented the **telescope**, and Galileo used one to make astronomical **observations**. He made many important discoveries about the sun and the planets of the solar system. Through these observations, he became convinced of the accuracy of heliocentrism, and in 1638 he proposed his view of the universe on that basis. The pope, however, **severely** criticized his theory, and Galileo was condemned as a heretic. His **enthusiasm** for natural science could not be stopped by political power. In 1638 he published *Dialogues Concerning Two New Sciences* in Holland because he knew the pope could not ban books published in Protestant countries.

In 1992 Pope John Paul II **expressed regret** for how the Galileo affair was handled, and issued a declaration acknowledging the errors **committed by** the Catholic Church tribunal that condemned the scientific positions of Galileo. (253)

コペルニクス、ケプラー、そしてガリレオ

1949年、**著名な**英国人科学史家、ハーバート・バターフィールドは、近代ヨーロッパの「科学革命」の概念**を提唱した**。彼の研究**によれば**、コペルニクス、ケプラー、ガリレオといった近代ヨーロッパの科学者は、われわれの宇宙についての見方**を根本から変えた**という。まず、ニコラウス・コペルニクスは地球中心説を否定し、太陽中心説を支持した。しかし、彼は太陽中心説についての研究の出版には同意せず、著作は亡くなってから**上梓された**。彼の死後も天文学は大きな発展を遂げ、ヨハネス・ケプラーは惑星の運行に関する新しい天文学上の法則を打ち立てた。これらの法則は、太陽系における惑星の運行を**正確に**説明しており、太陽中心説を証明するものであった。

ガリレオ・ガリレイは**評価の高い**イタリア人科学者であったが、1610年、彼の人生は全面的に変化することとなった。前年にあるオランダ人が**望遠鏡**を発明し、ガリレオはこれを天体**観測**のために用いた。彼は太陽や太陽系内の惑星について多くの重要な事実を発見した。こうした発見を通じて、ガリレオは太陽中心説が正しいことを確信し、1638年にこれを基礎として、彼の宇宙観を提起したのである。ところがローマ教皇は、ガリレオの理論を**厳しく**批判し、彼は異端として非難されたのであった。それでも彼の自然科学への**情熱**は、政治権力によって阻止されなかった。1638年、ガリレオは『二つの新科学対話』(日本での通称は『新科学対話』)をオランダで出版したが、それはプロテスタント国においては、ローマ教皇は書籍を禁書にできないことを知っていたからである。

1992年、教皇ヨハネ・パウロ2世は、これまでのガリレオ問題の扱いについて**謝罪を表明し**、ガリレオの科学的立場を非難したローマ・カトリック教会の法廷**が犯した**誤りを認めたのだった。

---

1 Herbert Butterfield〈1900-79〉。英国の歴史家　(Nicolaus) Copernicus ニコラウス・コペルニクス。87ページ参照　(Johannes) Kepler ヨハネス・ケプラー〈1571-1630〉。ドイツの天文学者　(Galileo) Galilei ガリレオ・ガリレイ〈1564-1642〉。イタリアの物理学・天文学者　geocentric 地球を中心とした　advocate …を主張する、支持する　heliocentrism 太陽中心説　posthumously 死後に、遺著として　make great strides 大きく進歩する　astronomic 天文の、天文学の。astronomicalも同じ意味　solar system 太陽系　validate …を証明する、確証する　**2** be (become) convinced of ... …を確信している　accuracy 正確さ　be condemned as ... …として非難される　heretic 異端者　ban …を禁止する、禁圧する　**3** John Paul II ヨハネ・パウロ2世〈1920-2005〉。ポーランド人初の教皇〈在位1978-2005〉　acknowledge …だと認める　tribunal 法廷

39

Europe 1562～1598年

Wars of Religion in France

In Europe, the 16th century was the age of Reformation. Under the leadership of Martin Luther, some territorial states in Germany turned Protestant, while Henry VIII made England a Protestant state. France was **ambiguous** regarding Protestantism.

In Switzerland, however, John Calvin **advocated** a new version of Protestantism that came to be called "Calvinism." It greatly influenced French Protestants called the Huguenots. Some aristocrats **sided with** Catholics and others supported Huguenots. The Wars of Religion **broke out** under these **circumstances**.

The wars resulted in the massacre of Huguenots on St. Bartholomew's Day. The situation, however, changed after the extinction of the Valois dynasty in 1589. Henry IV of the Bourbons, the new king, promulgated the Edict of Nantes of 1598 which gave the Huguenots limited freedom of **worship**. Henry, a **converted** Protestant, allowed the policy in order to put an end to the civil wars.

Nevertheless, the French Court did not truly welcome **toleration**, and Henry himself **re-converted to** Catholicism. In the 17th century, Louis XIII continued to oppress Huguenots, and Louis XIV finally abolished the Edict in 1685. (179)

フランスにおける宗教戦争

ヨーロッパの16世紀は、宗教改革の時代であった。マルティン・ルターの指導によって、ドイツの領邦国家の中にはプロテスタントに改宗するものが現れ、他方、ヘンリ8世はイングランドをプロテスタント国家とした。そしてフランスはと言えば、プロテスタンティズムについては**曖昧で**あった。

ところが、スイスでは、ジョン・カルヴァンが新しいプロテスタンティズム**を唱道し**、それは「カルヴィニズム」と呼ばれるようになった。カルヴィニズムは、「ユグノー」と呼ばれるフランス系プロテスタントに多大な影響を与えた。フランスの貴族の中にはカトリック教**を支援する**者もあれば、ユグノーを支持する者も出た。フランスの宗教戦争は、このような**状況**の下で**起こった**のである。

この戦争の結果、サンバルテルミの祝日にユグノーの大虐殺事件が勃発した。しかし、この状況は1589年にヴァロア朝が断絶したあとに変化した。ブルボン朝の新王アンリ4世が「ナントの王令」を発布したことで、フランス・ユグノーは限定的ながら**信仰**の自由を獲得したのだ。**改宗**プロテスタントだったアンリは、内乱状態に終止符を打つために、この政策をとったのである。

にもかかわらず、フランスの王朝は心から**寛容政策**を歓迎していたわけではなかった。そして国王アンリ自身がカトリック**に再改宗してしまった**。17世紀に入ると、国王ルイ13世はユグノー弾圧を続けた、そしてルイ14世は1685年、ついにナントの王令自体を廃止してしまったのである。

---

1 Martin Luther マルティン・ルター。89ページ参照　Henry VIII ヘンリ8世〈1491-1547〉。イングランド国王〈在位1509-47〉。王妃との離婚問題をきっかけにローマ教皇と断絶し、宗教改革を開始　**2** John Calvin ジョン・カルヴァン〈1509-64〉。フランス生まれの神学者で、スイス・ジュネーヴで宗教改革を推進　Calvinism カルヴィニズム、カルヴァン主義。カルヴァンが始めたプロテスタント思想で、予定説を強調する　Huguenots ユグノー。16-17世紀頃のカルヴァン派プロテスタントの呼称　**3** massacre 虐殺　St. Bartholomew's Day サンバルテルミ。1572年のサンバルテルミの祝日、パリでユグノー虐殺事件が起こった　extinction 断絶　Valois dynasty フランスのヴァロア朝〈1328-1589〉　Henry IV アンリ4世〈1553-1610〉、フランス国王〈在位1589-1610〉　promulgate …を発布する、公布する　Edict of Nantes ナントの王令。ナントはフランス北西部の都市　put an end to ... …を終わらせる　**4** Louis XIII ルイ13世〈1601-43〉。フランス国王〈在位1610-43〉　oppress …を虐げる、弾圧する　Louis XIV ルイ14世〈1638-1715〉、フランス国王〈在位1643-1715〉。通称「太陽王(the Sun King)」　abolish …を廃止する

40

Europe 1618～1648年

The Thirty Years' War

The Habsburg dynasty was one of a number of European dynasties in the process of creating major **princely** states in the 15th century. Its leader took the name Holy Roman Emperor, **defender** of Catholicism. Several German princes, however, were determined to defy both these emperors and the Catholic church.

Beginning in 1618, war broke out between the Catholic **powers**, led by the Habsburg Holy Roman emperors, and the Protestant nobles in Bohemia. What came to be called the Thirty Years' War was actually a **complex** of wars, combining **dynastic** and **strategic** conflict with religious **struggles**.

Eventually Denmark, Sweden, France, and Spain entered the conflicts. Sweden **went to war against** Germany to counter the **threat** posed by the Habsburgs. France fought against the Holy Roman Empire and Spain to gain leadership in Europe. The major European powers became involved in the plundering of Germany during three decades of fighting lasting until 1648.

The Treaty of Westphalia, which **officially** ended the war, brought a new political **order** to Europe. Sweden, France, and their **allies** gained new territories. Roman Catholicism was re-established in France, Poland, Hungary, and Bohemia. The Netherlands—known as the United Provinces—gained independence. The Holy Roman Empire ceased to be a political entity, **splitting into** independent states with the freedom to determine their own religion and **conduct** their own foreign policy. **To some extent**, religious pluralism was reluctantly accepted between states. Following the Thirty Years' War, the Habsburg territories in Central Europe were welded into a much more coherent dynastic empire, becoming the major dynastic power of Central Europe. (260)

三十年戦争

ハプスブルク朝は、15 世紀にヨーロッパに**君主制**国家が作られていく過程の中で、ヨーロッパ諸列強の一つとなっていった。ハプスブルク朝の当主は「神聖ローマ皇帝」であり、カトリック信仰の**擁護者**を自認していた。ところが、ドイツの君主の中には、彼らの皇帝、カトリック教会のいずれも認めない者がいた。

1618 年から、ハプスブルク朝の神聖ローマ皇帝を戴くカトリック君主**国家**と、ボヘミアを中心としたプロテスタント貴族との間で戦争が勃発した。これが後に三十年戦争と言われるものであり、この戦争は宗教的な**闘争**であるとともに、**王朝間の**戦争、**戦略的な**紛争が結びついた、**複雑なもの**であった。

最終的には、デンマーク、スウェーデン、フランス、スペインもこの戦いに参戦した。まずスウェーデンは、ハプスブルク家に仕掛けられた**脅威**に対抗する目的で、ドイツ**との戦いに入った**。一方、フランスは、ヨーロッパにおける主導権を得るために、神聖ローマ帝国とスペインに戦いを挑んだ。そして、ヨーロッパ諸列強は、1648 年まで続く 30 年にわたって、戦場であるドイツへの略奪行為に夢中になってしまったのである。

公式に三十年戦争を終結させた「ウェストファリア条約」は、ヨーロッパに新しい政治**秩序**をもたらした。スウェーデン、フランス、彼らの**同盟国**は、新しく領土を獲得した。ローマ・カトリック信仰は、フランス、ポーランド、ハンガリー、ボヘミアで再興された。また、「連邦共和国」として知られていたオランダは、独立を獲得した。他方、神聖ローマ帝国は、政治的な統一体としては存在できなくなり、独立した領邦国家**に分裂した**。これらの国家は自国の信仰を決め、外交政策**を推進する**自由を得たのである。こうした宗教的な多元主義は、**ある程度**、国家間で不承不承に認められたものに過ぎない。三十年戦争以降、中央ヨーロッパのハプスブルク領は、より求心力の強い帝国へと融合し、中部ヨーロッパ最大の君主国家となっていったのである。

---

1 Habsburg dynasty ハプスブルク朝。中部ヨーロッパを中心とする広大な地域に君臨した名門家門。1918年に崩壊　Holy Roman Emperor 神聖ローマ皇帝。962年から1806年まで続いた神聖ローマ帝国の君主　defy …を拒む　**2** Bohemia ボヘミア。現チェコの西部　**3** counter …に対抗する　become involved in ... …にかかわる、夢中になる　plundering 略奪すること　**4** Treaty of Westphalia ウェストファリア条約。スイス、オランダの独立、プロテスタント・カルヴァン派の承認、ドイツ諸領邦国家の主権が確立された　Netherlands オランダ　cease to *do* ～するのをやめる　entity 統一体　pluralism 多元主義　reluctantly いやいやながら　weld into ... …に融合する　coherent 団結した

41

Europe 1638〜1715年

Louis XIV of France, The Sun King

Under **successive** monarchs, France was torn by civil wars between factions of **aristocrats**. King Louis XIII ruled through the **chief minister**, Cardinal Richelieu, who **strengthened** the crown against this **feudal** aristocracy. When Louis XIII died and Louis XIV **took the throne**, he was still a child. Jules Mazarin, later Cardinal Mazarin, took over as chief adviser to the boy. Under Mazarin's tutelage, Louis **developed into** a talented politician who believed in the divine right of kings. He used his power to reform the **administration**, improve the armies, and make France the dominant power in Europe.

Louis began ruling on his own in 1661, determined to suppress the aristocrats. Forced to spend most of their time at court, they **actually** lived in his magnificent palace at Versailles, outside Paris. Far from their provincial power bases, the nobles were not able to raise **rebellions** against the king. Louis also assuaged them by freeing them from paying taxes. They focused all of their energies on competing for Louis's **favor**.

Isolated in this **luxurious** palace, however, both the royal family and the nobility were distanced from the **common people** and their increasing resentment over **unfair** treatment. The nobility paid no taxes, but heavy taxes were imposed on the **peasants** and the bourgeoisie. This **burden steadily** increased through the 18th century, especially because France spent fortunes defending its **overseas colonies**. It was these latter classes, suffering **poverty** and **hunger**, that would revolt and storm the Bastille in 1789, beginning the French Revolution. (247)

「太陽王」ルイ 14 世

歴代の王政において、フランスは**貴族**の派閥抗争による内戦のため分裂状態となった。だがルイ 13 世は**首席大臣**リシュリュー枢機卿を通して統治を行い、**封建**貴族に対して王権の力**を強化した**。ルイ 13 世が亡くなると、ルイ 14 世が**位に就いたが**、そのときまだ彼は幼児であった。そこで、後年マザラン枢機卿となるジュール・マザランがこの少年の首席顧問の役割を果たしたのである。マザランの後見もあって、ルイは王権神授説を信奉する有能な政治家**に成長した**。彼は自らの権力を**行政**改革、陸軍増強に用い、フランスをヨーロッパの中でも圧倒的な強国に押し上げた。

ルイは 1661 年に親政を開始し、決然として貴族勢力の抑圧を行った。これらの貴族はほとんどの時間を宮廷で過ごすよう強いられ、**実際**、パリ近郊にある豪奢なヴェルサイユ宮殿に居住していた。地方の権力基盤から遠く離れてしまい、貴族たちにとっては国王に**反乱**を起こすことなど、思いもよらないことになっていた。さらに国王ルイは、貴族の租税支払いを免除することで、貴族と融和したのである。そのため貴族たちも、ルイの**御意**にかなうことに全精力をつぎ込むこととなった。

しかし、この**豪勢な**宮殿の中で社会から切り離されたことで、王族、貴族のいずれもが**平民**から距離をおき、平民勢力が**不当な**扱いに憤りを募らせていることに無関心であった。貴族は税を払わず、重税は**小作農民**と市民階級（ブルジョワジー）に課されたのである。18 世紀を通じてこの**負担**は、**徐々に**強化されていった。その原因は主に、フランスが**海外植民地**防衛のために多大の出費をしたからだった。1789 年、政府に反乱を起こしてバスティーユ牢獄を急襲し、フランス革命の口火を切ったのは、ほかでもないこの**貧困**と**飢え**に苦しむ平民階級だったのである。

---

1 be torn by ... …によって引き裂かれる。tornはtearの過去分詞形　faction 派閥争い　Cardinal Richelieu リシュリュー枢機卿。本名はArmand-Jean du Plessis（アルマン・ジャン・デュ・プレシー）。フランスの政治家で、ルイ13世の宰相〈在任1624-42〉　Jules Mazarin ジュール・マザラン〈1602-61〉。フランスの枢機卿・政治家で、ルイ14世の宰相〈在任1642-61〉　tutelage 後見、庇護　divine right of kings 王権神授説。divine right theoryとも言う　**2** suppress …を抑圧する　magnificent 豪勢な、荘厳な　palace at Versailles ヴェルサイユ宮殿。パリ南西のヴェルサイユにあるルイ王朝の大宮殿。1682-1789年にフランス国王の座所として、政治の中心だった　provincial 地方の　assuage …を融和する、なだめる　free ... from ～ ～から…を自由にする　**3** distanced from ... …から遠ざかった　resentment 憤り、憤慨　impose on ... …に課す　bourgeoisie ブルジョワジー。有産市民層のこと　fortune 富、財産

42

Europe 1700年代

The Enlightenment (1700s)

The Scientific Revolution changed the way Europeans looked at themselves and the world. By applying the scientific method to the **physical** world, **intellectuals** tried to replace **mere** belief with **rational** thought. This new intellectual movement based on reason and applied to understanding all aspects of life came to be called the Enlightenment.

Enlightenment thinkers did not always agree. They did, however, agree on challenging tradition, **superstition**, and the repressiveness of the Catholic Church. Inspired by Copernicus, Kepler, Galileo, and others, they held that understanding came through experience and through rational **criticism**. Their views were **broadly** liberal and humanitarian, and they believed that people could be changed to create a new and better society.

Many of these intellectuals adhered to deism, the belief that God designed the planets and stars to run like **clockwork** but did not interfere with it. **In other words**, God does not **play an active role** in running the universe but gives humans **free will** to act. Such Enlightenment ideas were spread by Diderot's French *Encyclopédie*, which included all of the latest philosophical and scientific developments.

These thinkers condemned rulers who disregarded the **welfare** of their **subjects**. The Enlightenment intellectuals' ideas about "social contract," liberty, **tolerance**, **cultural relativism**, and free trade would become a force for **reform** and **eventually** revolution. They influenced key documents of the American and French Revolutions, the American Declaration of Independence, and the Bill of Rights. Even today their ideas dominate political discussions in Western democracies regarding equality, freedom of speech, individual rights, due process of law, and religious toleration. (257)

フランス啓蒙思想（1700年代）

科学革命は、自己と外界についてのヨーロッパ人の見方を変えることとなった。**知識人**は、**物質**世界に科学的な方法を用いることで、**単なる**信念にすぎないものを**合理的**思想に置き換えようとした。こうした新しい知的な運動は、理性に基礎を置き、人間のすべての面の理解に応用されており、一般に「啓蒙」と呼ばれるようになった。

啓蒙思想家たちに何か一致点がある訳ではないが、彼らは等しく、伝統、**迷信**、カトリック教会の抑圧には抵抗していた。コペルニクス、ケプラー、ガリレオらに影響された啓蒙主義者は、人間の理性は経験と合理的な**批判精神**に基づくとの考えを抱いていた。彼らの見方は、**全体としては**自由主義的であり、人道主義的でもあった。啓蒙主義者は、人間そのものが変革されることで、新しく、より善い社会を創造できると信じていたのだ。

フランス啓蒙主義知識人の多くは、理神論を奉じていた。理神論とは、神は**時計仕掛け**のように惑星や恒星の運行を設計したものの、その運行には干渉していないという考えである。**言い換えるならば**、神は宇宙の運行に**積極的な役割を果たす**ものではなく、人間に行動の**自由意志**を与えているということだ。こうした啓蒙思想の理念は、ディドロのフランス語による『百科全書』によって広まっていった。この書は、当時最新の哲学と科学の発達のすべてを包括していたのである。

これらの思想家は、自らの**臣民**の**福祉**を軽視する支配者を非難していた。「社会契約」、自由、**寛容**、**文化相対主義**、自由貿易といった啓蒙主義知識人の理念は、**改革**、そして**ついには**革命の原動力となった。啓蒙主義者の影響は、アメリカ独立革命、フランス革命、アメリカ独立宣言、権利章典の主要文書にも見ることができる。今日でも、平等、言論の自由、個人の有する諸権利、法の適正手続き、宗教上の寛容などに関する西洋民主主義国家での政治的な議論において、啓蒙思想は支配的な役割を果たしているのである。

---

1 apply ... to ～ …を～に適用する　reason 理性　**2** challenge …に異議を唱える　repressiveness 抑圧的なこと　liberal 自由主義的な　humanitarian 人道主義的な　**3** adhere to ... …を信奉する　deism 理神論。神を世界の創造者として認めるが、世界を支配する人格的存在とは考えず、啓示や奇跡を否定する理性的宗教観　interfere with ... …に干渉する　Diderot ディドロ〈1713-84〉。フランス啓蒙を代表する思想家　*Encyclopédie*『百科全書』。1751-72年に啓蒙思想に基づいて編集された百科事典　**4** condemn …を非難する　disregard …を無視する　Bill of Rights 権利章典。合衆国憲法修正第1から10条にあたる　due process of law 法の適正手続き、デュー・プロセス

43

Europe 1588年

Defeat of the Spanish Armada

During the 16th century in Europe, Catholicism and Protestantism were **militant** rival religions. They had become **aggressive** in winning new converts and in trying to reduce each other's **authority**. King Philip II of Spain became the most powerful supporter of Catholicism in Europe and in Spain's colonial empire in the New World.

Meanwhile in England, Queen Elizabeth I followed a **moderate** Protestantism at home and became a strong supporter of Protestants on the European continent. But Elizabeth **worried about** going to war with Spain because she thought England would lose. She could not **avoid** war, however, when Philip II decided to invade England in order to defeat the Protestants there and establish a Catholic government. In 1588 he **assembled** a huge **fleet** of warships called the Armada to invade England.

The Spanish Armada was met by the smaller English fleet in the English Channel. The Spanish fleet must have seemed superior, but the ships were large and unable to maneuver quickly to aim their **cannons** at the enemy ships. The English ships were smaller, but that allowed them to use their superior gunnery and more skillful **naval tactics**. After suffering a **serious defeat**, the Spanish Armada attempted to retreat by going northward into the North Sea and go around Scotland. With no accurate **charts** or skilled **pilots**, the fleet was battered by heavy storms. By the time the fleet returned to Spain, half of the ships and **three-fourths** of the crew members were lost. From that point on, England remained a Protestant country and began to form an empire that **spanned** the world. (263)

スペイン無敵艦隊の敗北

16世紀のヨーロッパで、カトリシズムとプロテスタンティズムは**軍事的に**相争う宗教であった。両者は新たに改宗者を得ようとして、また相手の**権威**をおとしめようとして、**攻撃的に**なっていた。そのときスペイン王フェリペ2世は、ヨーロッパ、そして新大陸のスペイン植民地帝国における最強のカトリック擁護者となったのである。

他方イングランドでは、女王エリザベス1世が国内では**穏健な**プロテスタンティズムに従うかたわら、ヨーロッパ大陸においては強力なプロテスタント支持者となっていた。エリザベスは、スペインと戦えば負けるのではないかと考えていたため、スペインとの開戦**を懸念していた**。だがフェリペ2世がイングランドのプロテスタントを打倒し、カトリック政権を打ち立てる目的でイングランド侵攻を決意したため、エリザベスは戦争**を回避する**ことができなくなってしまった。1588年、フェリペは、イングランド侵略のため、「無敵艦隊（アルマダ）」と呼ばれる軍艦の大**艦隊を集めた**。

スペイン無敵艦隊は、スペインに比べると小規模なイングランド艦隊とイギリス海峡で交戦した。スペイン艦隊が優勢に見られたのは間違いないが、船が大型だったため、敵艦に**大砲**を向けるためにすばやく操縦することができなかった。イングランドの船は比較的小型だったものの、そのためにより優秀な射撃法と巧みな**海軍戦術**を用いることができた。**大損害**を受けると、スペイン艦隊は、北海に北上して退却を試み、スコットランドを迂回しようとした。しかし、正確な**海図**がなく、技術のある**操縦士**もいなかったことで、艦隊は暴風雨に見舞われることになった。そのためスペインに帰港したとき、艦隊の半数の船と乗組員の**4分の3**は失われてしまった。このとき以来、イングランドはプロテスタント国家であり続け、世界に**広がる**帝国を形作り始めることとなったのである。

タイトル Armada 無敵艦隊、アルマダ。16世紀に植民地帝国として強大な力を誇っていたスペインの艦隊　**1** convert 改宗者　King Philip II of Spain スペイン王フェリペ2世〈1527-98〉、〈在位1556-98〉。カトリック教徒で対抗宗教改革の中心人物。絶対王政絶頂期のスペインを支配した　**2** Queen Elizabeth I 女王エリザベス1世〈1533-1603〉、〈在位1558-1603〉。国教会を確立したイングランド女王　**3** English Channel イギリス海峡。英仏両国を分かち、北海と大西洋を結ぶ海峡　maneuver（軍隊などが）機動する、作戦的に行動する　allow ... to *do* …が～することを許す　gunnery 砲術、射撃法　retreat 退却する、逃げる　be battered by ... …に激しく打ちつけられる

44

Europe 1556～1625年

English colonization of Ireland

One factor leading to English **colonization** was its limited supply of land at home. When the systems of engrossment and enclosure evolved, well-to-do land owners bought land for sheep and **enclosed** it in **hedges**. These systems deprived **landless** tenants of pasture for their own animals. Due to enclosure, people who had no land could not earn a living and were evicted from the lands. The driving force behind this **conversion** to pastures was economic: the demand for wool and **mutton**.

Fearing **rebellion** by evicted tenants, Elizabeth I and her **successors** **promoted** the systematic colonization of the nearest "available" land: Ireland. The English treated Ireland as if it were unoccupied, ignoring the fact that Irish **villagers** earned a living off that land. A systematic colonization began in Ulster, the northeast region of Ireland. English **settlers**, eager for land, pressed into Ireland with the backing of English **troops** who crushed Irish **opposition**. When England and Scotland united, the united Protestant Britain continued colonizing Catholic Ireland.

Persecution of the Catholics continued, giving a religious **character** to Irish **resistance** to English rule. By 1640 some 40,000 Protestant settlers had settled in Ireland for economic reasons: the desire for land. In Ireland, this colonization caused a **lasting split** between Protestants and Catholics. In North America and Australia, the **seizing** of "available" lands became a standard strategy, one that ignored the native people of those areas who did not enclose their lands like the English. **In this sense**, the English practiced on Ireland economic strategies they would use across the oceans. (256)

イングランドによるアイルランド植民地化

イングランドが**植民地化**を進めるに至った要因の一つに、農地の供給が限られていたことがある。農地を占有し囲い込む制度が発達するに従って、裕福な地主は羊の飼育のために土地を購入し、それを**生け垣**で**囲い込んでしまった**。このシステムによって、**土地を持たない**小作農は、飼っている家畜のための牧草地を奪われてしまった。この囲い込みによって、農地を持たない人々は生活の元手を稼ぐことができなくなり、土地からも追放されてしまったのだ。農地から牧草地へのこの**転換**の背後にあったのは、経済的な要因、すなわち羊毛と**羊肉**に対する需要であった。

追い立てられた小作農による**一揆**を恐れたイングランド女王エリザベス１世と**後継の国王ら**は、彼らから最も近い「空き地」、つまりアイルランドの組織的な植民地化**を推進した**。イングランド人はアイルランドをあたかも無主物の空き地であるかのごとく扱い、アイルランドの**村民**が耕地から引き離されて生活しているという事実を無視した。アイルランド北東部のアルスターでは組織的な植民地化が始まり、土地を求めるイングランド人**入植者**は、アイルランド人の**抵抗運動**を鎮圧してくれたイングランド軍の支援もあり、強引にアイルランドに進入した。ここではイングランド人とスコットランド人が団結し、プロテスタント・ブリテン連合は、カトリック・アイルランドの植民地化を進めていった。

カトリック教徒への迫害が続いたので、イングランドの支配に対するアイルランド人の**抵抗**は、宗教的な**色彩**を帯びることとなった。1640年までに約４万人のプロテスタント入植者が経済的な理由、すなわち土地を求めて定住を果たした。アイルランドでは、この植民地化はプロテスタントとカトリックの間に**長く続く分裂**をもたらした。そして北アメリカやオーストラリアにおいても、「空き地」を**占有する**ことは、ごく当たり前の手段となったのである。それは、イングランド人のように土地を囲い込んでいない先住民の存在を無視する行為だった。**こうした意味で**、経済的な戦略としてアイルランドで実践したことを、イングランド人は遠い海の彼方でも実行したと言えるだろう。

---

1 engrossment （土地の）占有　enclosure エンクロージャー、囲い込み。イギリスの大地主が分散している所有地を売買または交換により一箇所に集中して囲い込んだこと　well-to-do 裕福な　deprive ... of ～ …から～を奪う　tenant 小作農　pasture 牧草地　earn a living 生活費を稼ぐ　be evicted from …から立ち退かされる　**2** as if ... まるで…であるかのように　unoccupied 占有されていない　Ulster アルスター。アイルランド島北東部の地方　with the backing of ... …の支持を得て　**3** persecution （宗教的な）迫害

45

Europe 1500年

Evolution of the Russian Czars

Ivan IV became the Grand Prince of Muscovy when he was only three years old, when his father died. Five years later, his mother also died. With both parents gone, Ivan was put in the care of a boyar family, a closed class of Russian aristocrats. Ivan complained that they bullied him, **terrorized** him, neglected him, and attempted to usurp his **birthright**.

At his coronation in 1547, he became the first ruler to take the title of czar, the Russian word for Caesar. Ivan's early reign was characterized by reform and **modernization**. Ivan's first major **achievement** was to crush the power of the boyar nobility. He reformed the law code of Muscovy, created a council of nobles, and **carried out** reforms of the local governments. He also **sought to** open Russia to European trade and commerce. His second major achievement was to expand Russian territories to the east and south. He defeated and annexed the Kazan Khanate south of Moscow in 1552. To commemorate his conquest of Kazan, he built the elegant St. Basil's Cathedral that now stands in **Red Square**.

Ivan was always vengeful, paranoid, and vicious, but after surviving a **near-fatal** illness, these **impulses** grew worse. He launched a wave of terror against the boyars; he had them drowned, impaled, burnt alive, or beheaded, to mention only a few of his horrible methods. **Squads** of his **agents** swept across the country carrying out his vicious **commands**. The general **consensus** now is that he was not simply terrible; he was completely deranged. (253)

ロシア皇帝支配の発展

イヴァン4世は、父の死去に伴ってわずか3歳でモスクワ大公となった。その5年後にはイヴァンの母もまた亡くなった。父母を失ったイヴァンは、「ボヤール」と呼ばれるロシア特有の閉鎖的な大貴族階級の一家に養育された。だがイヴァンは、世話をしたボヤールが彼をいじめ、**脅迫し**、無視し、彼の**生得権**である王権さえ強奪しようとしたと非難している。

1547年にイヴァンが即位したとき、彼は「ツァーリ（皇帝）」として戴冠した最初の支配者となった。ツァーリとは、ロシア語で「カエサル」を意味する。イヴァンの初期の統治は、改革と**近代化**を特徴としていた。彼の最初の**功績**は、大貴族ボヤールの力をつぶすことであった。彼はモスクワ大公国の法典を改正し、貴族からなる評議会を設置し、地方政治改革**を実行に移した**のであった。さらにイヴァンはロシアをヨーロッパの商業・貿易に開放する**よう努めた**。彼の第二の功績は、ロシアの領土を東方と南方に拡大したことだろう。1552年、彼はモスクワ南方のカザン・ハン国を破り、これを併合した。イヴァンはカザン占領を記念するため、優美な聖ヴァシーリー大聖堂を建設し、それは今もモスクワの**赤の広場**に立っているのである。

イヴァンの性格は執念深く、偏執的であり、悪意に満ちていた。ところが**瀕死の境にあった**病気から回復すると、彼の心の**衝動**はさらに悪質になっていった。彼は大貴族に対するテロを次々と実施した。残虐行為をいくつかを示すだけでも、貴族たちを溺死させ、串刺しにし、生きたまま火あぶり刑に処し、斬首を行ったのだ。イヴァンの**代理人**である**軍人部隊**は、国中を覆い尽くし、彼の凶暴な**命令**を実行に移したのだった。したがって、イヴァンは単に残酷というだけではなく、完全に錯乱していたというのが今日（こんにち）の一般的な**評価**となっている。

---

1 Ivan IV イヴァン4世〈在位1547-84〉、モスクワ大公〈在位1533-84〉。通称「雷帝(the Terrible)」 Grand Prince of Muscovy モスクワ大公 boyar ボヤール。王族に次ぐ位と特権を有していたロシアの大貴族 bully …をいじめる usurp …を奪う、奪取する **2** coronation 即位、戴冠(式) take the title of ... …の称号を得る czar ロシア皇帝、ツァーリ Caesar カエサル。23ページ参照 code 法典 annex (国・領土)を併合する Kazan Khanate カザン・ハン国。15世紀、タタール人によって建国され、イヴァン4世に滅ぼされた St. Basil's Cathedral 聖ヴァシーリー大聖堂。モスクワ市中心部の赤の広場にある色彩豊かな大聖堂 **3** vengeful 執念深い、復讐心のある paranoid 偏執的な vicious 悪意のある、狂暴な drown …を溺れさせる impale …を突き刺す、串刺しにする behead …を斬首する deranged 発狂した、錯乱した

46

Europe 1700年代

Peter the Great and Catherine the Great

Peter the Great, a member of the Romanov dynasty that lasted from 1613 to 1917, became the czar of Russia in 1682. Like his predecessors, he was an **absolute monarch** who believed that he had divine right to rule. His impact on Russia was **enormous**.

After becoming czar, he visited the West, determined to **westernize** Russia by borrowing European technology. Modernizing both Russia's army and navy, he believed, was crucial to making Russia a great power. By his death in 1725, Russia was indeed a great military power and an important European state.

After five weak successors to Peter the Great, Peter III became czar. He too was unable to **command** the **loyalty** of his **followers** and **was assassinated** in 1762. His **opponents**, however, looked positively upon Peter's wife, a German princess who he had married in 1744. They chose her to succeed her husband. She became Catherine II, better known as Catherine the Great. An intelligent, politically skilled woman, she is considered one of history's most accomplished female leaders.

Catherine was familiar with the ideas of the Enlightenment and seemed to **favor** enlightened reforms. She **outlined** plans for reforms and even considered developing laws that would treat people of all classes equally. In the end, however, she favored the Russian nobles and that, **in turn**, led to worse conditions for the **peasants** who rose in **rebellion**. She suppressed the rebellion and expanded serfdom into newer parts of the Russian empire. Under her strong leadership, Russia expanded its territory south to the Black Sea and west into Poland. (258)

ピョートル大帝と女帝エカチェリーナ

ピョートル大帝は、1613年から1917年まで続いたロマノフ朝の人物であり、1682年にロシア帝国皇帝（ツァーリ）に即位した。それまでの皇帝と同じく、彼も**絶対君主**であり、国を統治する権力を神によって与えられていると信じていた。そしてピョートルは、**多大な**影響をロシアに与えた。

皇帝になってから、ピョートルは西ヨーロッパを訪問した。そこで彼は、西洋の科学技術を導入することで、ロシアを**西欧化**しようと心に決めたのである。ロシアが大国になるためには、陸海軍を近代化させることが肝要であると、皇帝は信じていた。彼が亡くなる1725年までには、ロシアは軍事大国となり、ヨーロッパの列強の一つとなっていた。

彼の死後、5人の凡庸な皇帝が続いたあと、ピョートル3世が即位した。彼もまた**臣下の忠誠心を集める**ことができず、1762年に**暗殺されてしまった**。だが彼の**政敵たち**は、1744年にピョートル3世と結婚したドイツ人皇妃を高く評価していた。政敵たちは、皇妃を夫の後継となる皇帝に選出したのである。彼女は女帝エカチェリーナ2世となり、のちエカチェリーナ大帝として知られるようになる。知的で、政治的にも熟練していたエカチェリーナは、史上最も優れた女性指導者の一人と見なされている。

エカチェリーナは、啓蒙思想の理念をよく理解しており、啓蒙主義的な改革**を支持している**と見られていた。実際、彼女は改革のプラン**を立案し**、国内のすべての身分を平等に扱う法律を発展させようとさえ考えていた。しかし結局、エカチェリーナはロシア貴族制のほうを選んだ。**これと反対に、一揆**のため立ち上がった**貧農**の状況は、以前よりもさらに悪くなってしまった。女帝は反乱を鎮圧すると、新しくロシア帝国領となった地域に農奴制度を拡大していった。女帝の強力な指導力の下、ロシアの領土は、南は黒海、西はポーランドまで広がっていったのである。

タイトル Peter the Great ピョートル大帝、ピョートル1世〈1672-1725〉、ロシア皇帝〈在位1682-1725〉。西欧的改革を断行し、ロシアを近代化した　Romanov dynasty ロマノフ朝　predecessor 前任者　divine right to rule 神から与えられた統治権　**2** crucial 決定的な、極めて重要な　**3** Peter III ピョートル3世〈1728-62〉、ロシア皇帝〈在位1762〉　Catherine II エカチェリーナ2世、エカチェリーナ大帝〈1729-96〉、ロシア女帝〈在位1762-96〉　accomplished 教養のある、洗練された　**4** familiar with ... …に精通している　suppress …を鎮圧する　serfdom 農奴制度

Chapter 4

その他の地域の近世
—オスマン帝国／東インド会社／明朝の成立

Pre-Modern Period in Other Areas:
The Ottoman Empire, the East India Companies, and the Ming Dynasty

紫禁城の入口

47

Asia　1400年代～1571年

The Ottoman Empire

In the late 13th century, a group of Turks under the leader Osman began to extend their power in northwest Turkey. A century later, the Ottoman Turks controlled the two **straits** that separated the Black Sea from the **Aegean Sea**.

In 1453, the Ottomans laid siege to Constantinople, the capital of the eastern half of the Roman Empire, then part of the Byzantine Empire. They **captured** the city and linked the European and Asian parts of their empire. Constantinople **was renamed** Istanbul, and the Byzantine church of Hagia Sophia was converted into a mosque.

The Ottoman Turks **gradually** took control of Mesopotamia, Egypt, and several of Islam's holiest cities: Jerusalem, Mecca, and Medina. Sultan Selim I declared himself the new caliph, successor to Muhammad and defender of the Muslim **faith**.

The Ottoman Empire reached its high point under Suleyman the Magnificent. He led the Ottoman **troops** against Vienna, but was defeated there in 1529. His successors were not as capable as he was, and the empire began to lose territory. When an Ottoman war fleet advanced into the western Mediterranean, it was defeated at the Battle of Lepanto in 1571. (190)

オスマン帝国

13世紀末になると、オスマンを指導者とするトルコ人の集団が、トルコ北西部に勢力を拡大し始めた。そして1世紀後には、黒海と**エーゲ海**とを分かつ2つの**海峡**を支配したのであった。

1453年、オスマン帝国は東ローマ（ビザンツ）帝国の首都コンスタンティノープル包囲戦を行い、この都市**を占領した**。オスマン帝国は、ヨーロッパとアジアにまたがる帝国となったのである。コンスタンティノープルはイスタンブルと**改名され**、ビザンツ様式のハギア・ソフィア聖堂は、イスラーム教のモスクに転用された。

オスマン・トルコは**徐々に**メソポタミア、エジプトに拡大し、さらにはイスラーム教徒にとって最も神聖な都市であるエルサレム、メッカ、メディナをも支配下に入れた。スルタン（支配者、皇帝）セリム1世は、自ら「カリフ」を名乗り、ムハンマドの後継者であり、イスラーム**信仰**の守護者を任じた。

オスマン帝国はスレイマン1世のときに最盛期を迎えた。彼はオスマン**軍**を率いてウィーンを攻撃した。しかし1529年、この地で敗北を喫してしまった。スレイマンの子孫たちは彼ほど有能ではなく、オスマン帝国は領土を失い始めた。オスマン艦隊は西地中海に進攻したが、1571年にレパントの海戦で敗れたのであった。

---

1 Osman オスマン1世〈1258-1326〉。オスマン帝国の建国者　Ottoman Turks オスマン朝トルコ　**2** lay siege to ... …を包囲攻撃する。laidはlayの過去・過去分詞形　church of Hagia Sophia ハギア・ソフィア聖堂。ユスティニアヌス1世がコンスタンティノープルに建立した巨大な聖堂（537年完成）。オスマン帝国の征服後はアヤ・ソフィアと呼ばれるモスクとなった　convert into ... …に転換する　**3** Sultan Selim I セリム1世〈1470頃-1520、在位1512-20〉。エジプト・シリアなどを征服しカリフの尊号を得た。sultan（スルタン）はイスラーム教国の支配者のこと　caliph カリフ。85ページ参照　**4** Suleyman the Magnificent スレイマン1世〈1494-1566、在位1520-66〉。オスマン帝国の最盛期のスルタンで、「卓越者」とも呼ばれる　advance 進む、前進する　Battle of Lepanto レパントの海戦。ローマ教皇、ヴェネツィア、スペイン連合軍がギリシアでオスマン帝国艦隊を破った戦い

48

Asia 1526～1858年

The Mughal Empire

The Mughal Empire ruled India for more than three centuries beginning in 1526. The empire was established when Babur, a ruler from Turkestan, raided India and defeated the sultan of Delhi. Babur's grandson Akbar expanded this empire and, more **significantly**, developed a **centralized** government and promoted a culture that included Islam and many other religions. His government consisted of a **hierarchy** with Muslims at the top, Hindu chieftains next, and peasants and artisans at the bottom.

The empire **prospered** through agriculture and trade with Asia, and later with Europe. The empire began to fall into decline by the 1730s due to **invasions** from abroad and **rebellions** at home. It **broke up into** warring regional states, whose need for funds and weapons gave opportunities for Europeans to exploit. When Britain began its lucrative trade with China, control of parts of India became valuable. The Mughal Empire shrank, local fiefs became more independent, and Britain began to dominate local areas.

The English East India Company became much more than a trading firm. It took control of one Mughal province in 1793 and developed its **sphere** of influence in India. The last Mughal was Bahadur Shah II who was 81 years old when the Indian Mutiny against Britain **broke out** in 1857. He was persuaded to become the leader of the rebellion, which failed. Banished to Burma for taking part in a mutiny, he abdicated in 1858. The empire collapsed, and Britain began to rule India directly. (244)

ムガル帝国

ムガル帝国は1526年の建国以来、3世紀以上にもわたってインドを支配してきた。この帝国は、トルキスタン出身のバーブルがインドに侵入し、デリーにいたスルタンを破った結果、建国された。バーブルの孫アクバルは帝国を拡大し、さらに**重要なこととして、**彼は**中央集権的な**政治を打ち立て、イスラーム教やその他の宗教を含む文化の振興に尽くした。彼の政府はイスラーム教徒を**階級制度**の筆頭とし、ヒンドゥー教の族長を次位に置き、小作農と職人を底辺としたのであった。

帝国は農業と、アジア、のちにはヨーロッパとの交易で**繁栄した**ものの、1730年代までには外敵の**侵略**と国内の**反乱**によって衰退し始めた。帝国は相争う地方国家**に分裂してしまい、**それらの国家が資金と武器を必要としたことで、ヨーロッパ人がつけいる機会を与えてしまった。中でもイギリスは中国と儲けの多い貿易を始めたので、彼らがインドの一部を支配していたことは、とても貴重だった。ムガル帝国は縮小していき、地方首長の領地はさらに独立性を増した。そしてイギリスは、インドの地方領域を支配し始めたのだった。

イギリス東インド会社は、単なる商社以上のものとなった。1793年に東インド会社は、ムガル帝国の一つの州の支配権を獲得し、インドで影響力を持つ**領域**を拡大していった。1857年、反英運動であるインド大反乱が**起こった**とき、最後のムガル皇帝バハードゥル・シャー2世は81歳であった。彼は説得されて反乱の指導者になったが、この反乱は失敗に終わってしまった。反乱への参加のかどで、皇帝はビルマ（現ミャンマー）に追放され、1858年には皇帝の座から退いた。その結果、ムガル帝国は滅び、イギリスの直接統治が始まったのである。

タイトル Mughal Empire ムガル帝国。インド史上最大のイスラーム王朝　**1** Babur バーブル。ムガル帝国の創建者で、初代皇帝〈在位1526-30〉　Turkestan トルキスタン（地方）。中央アジア・中国・アフガニスタンにわたる広大な地域　raid …を急襲する　sultan スルタン。113ページ参照　Akbar アクバル。ムガル帝国第3代皇帝〈在位1556-1605〉　chieftain 首長、族長　**2** fall into decline 衰退する　warring 交戦中の、相戦う　exploit …を活用する、…につけこむ　lucrative 儲けの多い、金になる　shrink 縮小する、減少する。shrankは過去形　fief（封建時代の）領土　**3** English East India Company イギリス東インド会社。インド・極東貿易を営んでいたが、徐々にインドへの植民地拡大の中心となった。117ページ参照　Bahadur Shah II バハードゥル・シャー2世〈在位1837-58〉。ムガル帝国最後の皇帝。インド大反乱で権力回復を図り、失敗　mutiny 反乱　banish …を追い払う、追放する　take part in ... …に参加する　abdicate 退位する

49

Europe/Asia　1600～1700年代

Three "East India Companies": English, Dutch and French

In 1600 the English East India Company was formed as a **monopoly** company which traded with Asian countries. As the Dutch Company controlled the Moluccas, the English Company was obliged to retreat from that area. In India, the English Company **overpowered** the Dutch, and made base camps on the coast of India. In the late 18th century, Britain and the Company fought against France, and in 1757 Britain won a **decisive** victory at Plassey. After that, the English Company **gradually** transformed the trading company into a system of government in India. After the Indian Mutiny of 1857, the British government decided to rule India directly and the English Company was dissolved.

When the Dutch Company was established, it was 10 times larger than the English one. **Well-organized**, it was regarded as the first joint-stock company in the world. In the 17th century the Dutch company built a **fortress** at Sunda Kelapa. In 1623 the Dutch company massacred the people at the English trading house on Ambon Island. Although the Dutch Company built up a firm position in Southeast Asia, **dubious accounting** was criticised by the Dutch people, and the Company was dissolved in 1798.

The first French Company was established in 1604, and reorganised in 1664. Although the Company acquired the city of Pondicherry in India, after defeats in the Seven Years War France lost all hope of the French Company dominating India. Around 1790 the French **revolutionary government** decided to **abolish** the Company. (244)

3つの「東インド会社」—イギリス、オランダ、フランス

1600年、アジア諸国と貿易を行う**独占**会社として、イギリス東インド会社が創業した。しかし、オランダ東インド会社がすでにインドネシアのモルッカ諸島を支配下に入れており、イギリスはこの地から退却せざるを得なくなった。一方インドでは、イギリス会社はオランダ会社**を圧倒し**、インド沿岸に根拠地を建設した。18世紀後半にイギリス会社はフランスと戦いを繰り広げ、1757年にはインドのプラッシーで**決定的な**勝利を収めた。その後、イギリス会社は商社からインド統治機関へと**徐々に**変容していく。特に1857年のインド大反乱後、英国政府はインドを直接統治することにした。そしてイギリス東インド会社は解散したのである。

オランダ会社が創設された頃、オランダ会社の規模はイギリス会社の10倍に達していた。オランダ会社は**高度に組織化されて**おり、世界で最初の株式会社と考えられている。17世紀、オランダ会社はスンダ・クラパに**軍事要塞**を構築した。1623年にはアンボン島の英国商館を襲い、虐殺を行った。かくしてオランダ会社は、東南アジア地域に強大な根拠地を築いたものの、オランダ国内で会社の**不正経理**が批判の的になり、会社は1798年に解散した。

最初のフランス東インド会社は1604年創業で、1664年に再建された。フランス会社はインド・ポンディシェリ市を手に入れたが、七年戦争の敗北によって、フランスはフランス会社がインド支配をするという希望を失ってしまった。フランス**革命政府**は、1790年頃フランス会社の**廃止**を決定した。

---

1 Moluccas モルッカ諸島。インドネシアにある島。香料諸島(Spice Islands)ともいう　be obliged to *do* ～せざるを得ない　Plassey プラッシー。英国軍がフランスとインド・ベンガル太守連合軍に完勝した村の名前。英国のインド支配の基礎となった　Indian Munity インド大反乱。115ページ参照　dissolve …を解散する　**2** be regarded as ... …と見なされる　joint-stock company (イギリス英語)株式会社。米語ではstock company　Sunda Kelapa スンダ・クラパ。現在のインドネシアの首都ジャカルタの古名　massacre …を虐殺する　Ambon Island アンボン島。インドネシア・モルッカ諸島の一つで通商の中心。オランダの本拠地で、ここに進出しようとした英国は撃退された　**3** Pondicherry ポンディシェリ。インド南東部の都市で、フランス支配の中心　Seven Years War 七年戦争〈1756-1763〉。ヨーロッパ列強を巻き込んだ戦争で、英国はフランス勢力を圧倒した

50

Asia 1368～1644年

The Ming Dynasty and the "Forbidden City"

In 1368 Hongwu Di, the first emperor of the Ming dynasty defeated the Mongolian Yuan dynasty. The emperor made Nanjing the capital. As the Yuan **retreated** to Mongolia, the Ming dynasty became a **despotic** Chinese empire, and **restored** the rule by the Han race. During the reign of the Ming dynasty, China enjoyed great economic **prosperity**, and silk and **pottery** were exported to Asia and Europe.

The Ming exerted immense political and military influence on Korea to the east, the Turkic people to the west, as well as on Vietnam and Myanmar to the south, and Japan's Ashikaga shoguns brought tribute to the Ming emperors. The voyages of Chinese adventurer Zheng He are well-known. On order of the emperor he made seven voyages to Asia and Africa, including Arabia, Ceylon, India, Java, Malacca, Sumatra, and Thailand. He also explored the western coast of Africa. He made Asian and African people accept the **authority** of the Ming emperors, and it is certain that his adventures encouraged Chinese people to advance into Southeast Asia and South Asia.

In 1421 the Ming moved their capital to Beijing and built the **magnificent** palace called the Forbidden City. Though the palace was a symbol of the emperor's power, the Ming gradually suffered from the **invasions** by the Mongolian and Japanese invaders beginning in the 15th century. In 1644 the Ming dynasty was overthrown by a **rebel army**, and the northern Manchurian people **dashed into** China, establishing the Qing dynasty. (244)

明朝の成立と「紫禁城」建設

1368年、明朝の初代皇帝、洪武帝は元朝を滅ぼし、首都を南京に置いた。元はモンゴルに**退却した**。明は**独裁的な**中華帝国となり、漢民族による中国支配**を取り戻した**。明朝支配の間、中国はこれまでにない経済的な**繁栄**を享受し、絹と**陶器**は広くアジア、ヨーロッパに輸出されていた。

明は、東方は朝鮮、西方はトルコ、南方はベトナム、ミャンマーにまで政治・軍事上の強い影響力を伸ばしていた。日本の歴代の足利将軍もまた、明の皇帝に朝貢していた。中国人冒険家・鄭和の大航海はよく知られている。皇帝の命によって、鄭和はアジア、アフリカへと7度航海を行っている。その航海はアラビア、セイロン、インド、ジャワ島、マラッカ、スマトラ島、タイに及んだ。彼はアフリカ西海岸をも訪問した。鄭和はアジア、アフリカの人に対して明の皇帝の**権威**を認めさせたが、この冒険旅行によって中国人の東南アジアや南アジアへの進出が進んだことも確かである。

1421年、明は首都を北京に遷し、そこに「紫禁城」と呼ばれる**豪壮華麗な**宮殿を建築した。宮殿は皇帝の権力の象徴であったが、15世紀に入ると明は次第にモンゴル人、日本人の**侵略**に苦しむようになった。1644年、ついに明は**反乱軍**によって滅ぼされ、それを見た北方満州族が中国**に突入し**、清朝を樹立したのであった。

---

1 Nanjing 南京。揚子江に望む大都市で、明代に北京に対して南京と命名　**2** Turkic people トルコ語、ウイグル語などトルコから西アジアにかけて分布する言語のグループ　Ashikaga Shoguns brought tribute to ... 15世紀初め、将軍足利義満は「勘合貿易」という名の朝貢貿易を明と開始。以後ほとんどの足利将軍がそれにならった。tributeは「貢ぎ物」の意味　Zheng He 鄭和〈1371-1434〉。明の永楽帝の家臣。大艦隊を率い、広くアジア・アフリカ30余国を訪ねた　encourage ... to *do* …に～するよう促す　**3** Forbidden City 紫禁城。明清時代の宮殿で、一般人の立ち入りを許さなかったため、この名がついた。現在は故宮と呼ばれる　suffer from ... …に苦しむ　Mongolian and Japanese invaders モンゴル人の侵入略奪と倭寇と呼ばれる日本人海賊。明朝では「北虜南倭」と呼ばれた　be overthrown by ... …に崩壊させられる

51

North/South America 1200〜1500年代

The Inca Empire and Pizarro

The Inca, a word that means "the son of the Sun God," established their capital at Cuzco in present-day Peru in the 13th century. They began their conquest in the early 15th century and within a century gained control of the Andean people. Incan society seems to have been highly stratified. The emperor ruled with the **aristocracy**, maintaining their **authority** with harsh controls. Inca technology and architecture were quite **advanced**; their irrigation systems, palaces, and temples still exist. Their economy was based on agriculture, and they produced corn, white and sweet potatoes, **squash**, tomatoes, peanuts, chili peppers, coca, cassava, and cotton.

During the reign of the King Atahualpa **civil wars broke out**. Pizarro, a Spanish **conquistador**, intervened in the wars and **eventually** conquered the Inca Empire. After the fall of the empire, Pizarro's **corps were** still **surrounded** by Incan soldiers, but he established the new city of Lima which faced the coast and Spanish reinforcement could easily land. Pizarro then became the ruler of Peru. He was caught up in a power **struggle**, and a new civil war broke out among the Spanish conquerors. Pizarro was assassinated by a son of the **late** King Atahualpa. Although political turmoil continued, a silver **mine** was discovered at Potosí in 1545. A huge amount of silver was obtained by Spanish mining magnates, which contributed to establishing the Spanish empire. The Incan people were forced to work in mines by Spanish rulers, and their population plunged. (242)

インカ帝国とピサロ

「太陽神の子」を意味するインカ族は、13 世紀に入るとペルーにあるクスコに首都を定めた。彼らは 15 世紀初めには征服を始め、それから 100 年経たないうちに、アンデス山系の人々を支配下に置くこととなった。インカ族の社会は極めて階層化された構造であったようである。皇帝は**貴族**とともに統治を行ったが、厳しい取り締まりによって自らの**権力**を維持していた。インカ族の科学技術、建築術は非常に**発達して**おり、彼らの造った灌漑施設、宮殿、寺院などは今日でも見ることができる。経済は農業に基礎を置いており、トウモロコシ、ジャガイモ、サツマイモ、**カボチャ**、トマト、落花生、トウガラシ、コカ葉、キャッサヴァ、綿花を産していた。

アタワルパ王の時代に**内乱**が**勃発した**。スペイン人**征服者**ピサロはこの内乱に介入し、**ついに**インカ帝国自体を征服してしまった。帝国が崩壊したあともなお、ピサロ率いる**軍**はインカ族兵士に**包囲された**状態だった。そのためピサロは、海岸に面し、スペインからの援軍が容易に上陸できるリマの地に新都を建設し、その後、ペルーの支配者となった。だがピサロはここで権力**闘争**に巻き込まれてしまい、スペイン人征服者の中で新たな内戦が起こった。そしてピサロは**故**アタワルパ王の子息に暗殺された。以後も政治的混乱は続いたが、1545 年、ポトシの地で銀**鉱山**が発見された。スペイン人大鉱山主は大量の銀を獲得し、銀鉱山主はスペイン帝国の確立に貢献した。一方、インカ族は鉱山で強制労働を強いられ、彼らの人口は急減してしまったのである。

タイトル Inca インカ族。南米ペルーのアンデス山脈地方に住んでいた先住民 (Francisco) Pizarro (フランシスコ・)ピサロ〈1476-1541〉。スペイン出身の探検家 **1** Cuzco クスコ。ペルー南部の都市で、インカ帝国の首都 Andean 南米アンデス山脈の(人々) stratify …を階層分化する irrigation 灌漑 coca コカ葉。伝統的に宗教的儀式や医療目的で使用されていた cassava キャッサヴァ。根茎からデンプンをとる **2** King Atahualpa アタワルパ王〈1502?-1533〉。インカ帝国最後の王で、ピサロに殺された intervene in ... …に介入する Lima リマ。ペルー中西部にある首都 reinforcement 援軍 be caught up in ... …に巻き込まれる assassinate …を暗殺する turmoil 混乱 Potosí ポトシ。南米ボリビア南部の都市で、かつて銀採掘の中心だった magnate 有力者、大物 contribute to ... …に貢献する plunge 急減する

52

North/South America　1400年代～1521年

Aztec Civilization

The Aztecs were called Mexica, which is the origin of the name Mexico. They once lived in the northern part of Mexico, but beginning in the 12th century they moved southwards. The Aztec people chose Tenochtitlan, now Mexico City, as their capital, an island in a lake. The population was over 200,000. The **magnificence** of the city astonished Spanish conquerors when they arrived.

The Aztec people made an **alliance** with neighboring cities and ruled the large empire, now central and southern Mexico, in the 15th and early 16th centuries. Their **efficient** agricultural methods produced a huge amount of **corn**. The **harvest** made for a rich and populous state. The **polity** of the Aztecs was despotic, and they exercised great military force. Their empire spread from the Gulf of Mexico to the Pacific Ocean. Many people who had been conquered by the Aztec empire were sacrificed to the Aztec gods during **rituals**.

Spanish forces first conquered Cuba and other Caribbean islands. Then they began to conquer the Mayas, through whom the Spanish learned about the **prosperous** empire of the Aztecs. Hernan Cortés, with only 500 soldiers and 50 guns, made use of the **discord** between the Aztecs and other **tribes** who had been treated cruelly. Aided by these **discontented** tribes, Cortes attacked the Aztecs, and Tenochtitlan was **completely** destroyed. Cortes finally conquered the Aztec Empire in 1521, and Mexico City was built on the site of the former Aztec capital. (239)

アステカ文明

アステカ人はかつて「メシカ人」と呼ばれており、この語は「メキシコ」の語源となっている。以前はメキシコ北部に居住していたが、12世紀初めには南方に移動していた。彼らは湖に浮かぶ小島、テノチティトラン（現在のメキシコシティ）を首都に選び、市の人口は20万を超えていた。後年、この都市の**豪壮さ**は、都にやってきたスペイン人征服者を驚愕させることになる。

15～16世紀初頭になると、アステカ人は近隣の諸都市と**同盟関係**を結び、現在のメキシコ中部、南部を含む大王国（帝国）を支配するようになった。彼らには**効率的な**農法があり、それによって大量の**トウモロコシ**を産出していた。豊かな**収穫**によって富強で多くの人口を擁する国家を打ち立てた。アステカ人の**政治体制**は独裁的であり、大規模な軍事力を擁していた。アステカ王国はメキシコ湾から太平洋にまで広がり、王国に征服された人々の多くは、**儀式**に則って、アステカの神々に対する捧げ物とされた。

スペイン軍はまずキューバとその他のカリブ海の島々を制圧した。それから、マヤ人に対する征服を進め、彼らを通じてスペイン人はアステカという**富裕な**王国の存在を知ったのである。エルナン・コルテスは、わずか兵士500人・銃50丁を用い、アステカ族と、彼らに虐待されていた他の**種族**の間の**対立**をうまく利用した。コルテスは**不満を抱く**種族の支援を得てアステカ王国を攻め、テノチティトランは**完全に**破壊された。1521年、コルテスはついにアステカ帝国を征服し、かつて王国の首都があった地には、メキシコシティが建設された。

タイトル Aztec アステカ族(の)　1 Mexica メシカ。アステカ王国(帝国)を建国した種族　Tenochtitlan テノチティトラン。アステカ王国の首都　astonish …を驚かせる　2 despotic 独裁的な、専制的な　spread from ... to ～ …から～まで広がる　be sacrificed to ... …にいけにえとして捧げられる　3 the Mayas マヤ族。中米ユカタン地方、ベリーズ、グアテマラなどに居住し、マヤ語族に属する言語を用いた先住民　Hernan Cortés エルナン・コルテス〈1485-1547〉。アステカ王国を征服したスペイン人　make use of ... …を利用する

53

North America　1600年代

British Colonies in America

By 1600, England had begun to **challenge** the Spanish and the Portuguese in the Americas. Faced with **overpopulation**, lack of land, and **troublesome** religious groups, English monarchs granted permission to various groups to immigrate to North America—to settle and somehow benefit the monarchy. The most **significant** of the colonies were in Virginia and the Massachusetts **Bay** region.

Like the Spanish, the English took for granted the idea of *res nullius*. This **legal principle** holds that unoccupied land remains the common **property** of mankind—until it is put to use. The first user becomes the owner. The English **applied** this principle **in** seizing "unused" land in Ireland first, then in the Caribbean and North America.

Ownership was signified by **enclosure**, and since the native people had not enclosed the lands, it was "available." Even **indigenous** names for places were replaced with English names. Native names like Massachusetts and Connecticut survived, but the main towns were **named after** towns in England, such as Boston and New Haven. By the beginning of the 18th century, the English controlled most of the eastern seaboard of North America and set up **sugarcane** plantations on several islands in the Caribbean.

The founding of the Virginia colony in 1607 **was carried out** by a trading company: the Virginia Company. English gentry and merchants gained a royal charter to found a colony. It was, **in essence**, a capitalist **enterprise**. There was no silver or gold in Virginia, but with the introduction of slaves from Africa, the land produced raw materials: rice, indigo, tobacco, and eventually highly **valuable** cotton. (261)

イギリス領アメリカ植民地

1600年までにイングランドは、アメリカ大陸でスペイン、ポルトガルに**挑戦する**存在となっていた。**人口過多**、土地の不足、そして**厄介な**宗教集団に直面し、国王はさまざまなグループに対して北アメリカへの移住特許状を与えていた。その結果、人々は入植し、いくぶんかは王の利益ともなったのである。こうした植民地の中でも**重要な**ものは、ヴァージニアとマサチューセッツ**湾**地域であった。

スペインと同様に、イングランドも「無主物」の理念を当然のことと見なしていた。この**法理**は、占有されていない土地はそれが利用されるようになるまでは、人類の共有の**財産**であると規定する。そして最初の使用者が、その土地の所有者となるのである。イングランド人はまずこの理論を、アイルランドにおける「未使用」地**に適用し**、その後、カリブ海地域と北米地域にも応用した。

土地の**所有権**は、**囲い込み**によって表されることになっていた。ところが先住民族は土地の囲い込みなどしたことがなかったので、その土地は植民者にとって「利用可能な」土地になってしまった。そしてその土地**本来の**名称さえもが、英語の名称に置き換えられてしまったのである。マサチューセッツ、コネチカットといった先住民が用いた地名は生き残ったが、主要都市はボストン、ニューヘヴンというように、イングランドの都市**にちなんで名づけ**られた。18世紀の初めまでには、イングランドは北アメリカの東側の海岸線のほとんどを管轄下に収め、カリブ海のいくつかの島で**サトウキビ**の大農園（プランテーション）を始めていた。

1607年のヴァージニア植民地の建設は、ヴァージニア会社という貿易会社によって**実行に移された**。その後、イングランドのジェントリや商人らは国王の勅許状を下賜され、植民地を創設した。それは**実質的には**資本主義的な**事業**だった。ヴァージニアでは金も銀も産出されなかったが、アフリカ人奴隷を導入することで、コメ、インディゴ、タバコ、さらには極めて**価値の高い**綿花といった原料さえも産したのである。

---

1 grant permission 許可を与える　Virginia ヴァージニア(州)　**2** take ... for granted …を当然だと思う　*res nullius* = nobody's thing 無主物。誰にも属さないもの　seize …を獲得する　**3** signify …を示す　Massachusetts マサチューセッツ(州)。先住民族マサチューセット(Massachuset)族にちなむ　Connecticut コネチカット(州)。先住民マヒカン族語で「大河」の意味　seaboard 海岸線　set up ... …を始める　**4** gentry ジェントリ。地主階級　royal charter 国王勅許状　indigo インディゴ、天然藍

54

Europe, Africa, and America　1500年代

Development of the slave trade

Slavery was practiced in ancient Egypt, Rome, Greece, and in Africa as well. Until the 1400s, most enslaved Africans were **prisoners** of war or people abducted from distant villages. Some of these early enslaved people were adopted into families and others were sold to merchants in the lands east of Africa and along the coast of the Indian Ocean.

The need for labor—including slaves—increased in Europe as a result of the depopulation caused by the Black Death. When Portuguese merchants began exploring the Atlantic coast of Africa in the 1500s, they were interested in buying textiles, gold, **ivory**, and slaves. **Originally** the slaves were taken back to work in the Iberian Peninsula and on the sugarcane plantations of the Mediterranean Sea. Then plantations were established in the Canary Islands and off the African coast on Sao Tome and Principe.

With the discovery of the Americas, and the development of plantations in Brazil and on the Caribbean islands, the demand for slaves to produce **valuable** sugarcane **rapidly** increased. A Spanish ship carried the first enslaved Africans directly from Africa to the Americas in 1518.

Eventually a triangular trade connected Europe, Africa, and the Americas. Merchant ships carried European manufactured goods such as guns and cloth to Africa. They traded for slaves and took them to the Americas. There they bought raw cotton, tobacco, molasses, and sugar to trade in Europe. Between the early 1500s and late 1800s, **roughly** 10 million Africans were carried to the Americas as slaves. (250)

奴隷貿易の発達

奴隷制度は、古代エジプト、ローマ、ギリシア、そしてアフリカでも行われていた。1400年代までは、奴隷となったアフリカ人は、戦争による**捕虜**か、遠方の村落から拉致されてきた人々がほとんどだった。これら古い時代の奴隷は、養子として家庭に引き取られたり、アフリカ東部の諸国やインド洋沿岸地域で活動する商人に売られたりしていた。

ヨーロッパにおいては、黒死病に起因する人口減少の結果、奴隷を含む労働力への需要が高まった。1500年代に入り、ポルトガル商人がアフリカ大陸の大西洋沿岸の探検を始めると、彼らは生地、黄金、**象牙**、奴隷の購入に関心を抱くようになった。**当初**、奴隷たちは、イベリア半島や地中海にあるサトウキビ大農園（プランテーション）に送られていた。その後、大農園は、カナリア諸島や、サントメ＝プリンシペなどアフリカの沿岸の沖合に建設された。

アメリカ大陸が発見され、ブラジルやカリブ海諸島で大農園が発達したことで、**高価な**サトウキビの生産を目的とした奴隷の需要が**急速に**伸びていった。そこで1518年、スペインの船舶は、アフリカからアメリカ大陸へ初めて直接奴隷を運搬した。

最終的に、ヨーロッパ、アフリカ、アメリカは「三角貿易」で結ばれることとなった。ヨーロッパの商船が銃器や繊維製品といった工業製品をアフリカに送ると、商人たちは商品を奴隷と交換して、アメリカ大陸に連れて行った。そしてアメリカでは、ヨーロッパで売りさばく目的で、綿花、タバコ、糖蜜、砂糖を購入したのだ。1500年代初めから1800年代末までの間に、**およそ**1千万人のアフリカ人が奴隷としてアメリカ大陸に運ばれたのである。

---

1 enslaved 奴隷にされた　abduct …を誘拐する、拉致する　adopt into ... …の養子にする、引き取る　**2** as a result of ... …の結果として　depopulation 人口減少　Black Death 黒死病(ペスト)。63ページ参照　Canary Islands カナリア諸島。アフリカ北西岸沖にあるスペイン領の諸島　Sao Tome and Principe サントメ＝プリンシペ。西アフリカの ギニア湾内の2島からなる国。元ポルトガル領　**4** triangular trade 三角貿易。収支の不均衡を解消するため、3国間で行われる貿易方式のこと。ここでは大西洋上で展開されたヨーロッパ、アフリカ、アメリカ大陸の間の貿易を指す　molasses 糖蜜。製糖の際、原糖からできる褐色のシロップ

55

Central/South America 1600年代

Colonization of Central and South America

Except for Brazil, Central and South America became part of the Spanish Empire. This empire centered on the former Inca Empire in Peru and the Aztec Empire in Mexico. At the time of the Conquest, the **indigenous** population of Spanish America was between 40 and 50 million. By around 1650, however, all American Indian societies suffered massive population losses, perhaps up to 90 percent, largely due to the native peoples' lack of immunity to European **diseases**. While the indigenous population declined, the European, African, and **mixed** populations rose sharply, from Spanish **migration** and the African slave trade.

In Peru and Mexico, the Spanish introduced the encomienda system. Natives were allotted to a Spanish overlord, to whom they were required to supply labor. **In return**, they were supposed to receive **protection**. In Mexico, this **forced labor** was used in silver mining, silver being 90 percent of Spanish exports between 1550 and 1640. In the Spanish islands in the Caribbean, African slaves were imported to work on sugarcane and coffee plantations.

Although the early Spanish **colonists** observed the legal forms of **loyalty** to the Spanish crown, the crown had little **authority** in Spanish America. The colonists had **virtually** unlimited control over the Indians and the riches they produced. The crown tried to assert its power by dividing the colonies into four viceroyalties: Peru, La Plata, New Granada, and New Spain. The fourth included today's Mexico and the southwest United States. **Despite** this new system, Spain's authority in the Americas weakened while American-born officials became more powerful. (254)

中央・南アメリカの植民地化

ブラジル**を除いて**、中米と南米はスペイン帝国の一部をなしていた。この帝国はかつてペルーにあったインカ帝国、メキシコにあったアステカ王国（帝国）の地域を中心としていた。スペイン人が侵略したとき、スペイン領アメリカにいた先住民の人口は4～5千万人程度だった。ところが1650年頃になると、**先住民**は全般にヨーロッパの**伝染病**に免疫がなかったため、大幅な人口減少を経験し、その率はおそらく90%に達したと考えられる。先住民の人口が減少したのに対し、ヨーロッパ人、アフリカ人、**混血の**人の人口は急激に増えた。スペイン人**移住**者とアフリカ人奴隷貿易が要因である。

ペルー、メキシコにおいて、スペイン人は「エンコミエンダ制」を導入した。先住民は、それぞれ支配者を割り当てられ、彼らは支配者に労役を提供することが求められた。**代わりに**先住民は、支配者から**保護**を受けられると考えられていた。メキシコでは、こうした**強制労働**者は銀鉱山で**働かせられ**、実際1550年から1640年にかけて、銀はスペインの輸出品の90%に達した。カリブ海にあるスペイン領島嶼植民地では、サトウキビやコーヒーの大農園（プランテーション）で働かせるためにアフリカ人奴隷が輸入された。

初期のスペイン人**植民者**は、スペイン王権に対する**忠誠心**を、形式的・法的には守っていたと見られるが、スペイン領アメリカで王権はほとんど**権威**を持たなくなっていた。**実質的には**植民地経営者は、先住民および彼らが生み出す富に対して無制限の管轄権を有していたのである。スペイン王は植民地を4つの副王領、つまりペルー、ラプラタ、ニュー・グラナダ、ニュー・スペインに分割することで、自らの権力を主張しようとした。そのうち4番目のものは、今日のメキシコと合衆国南西部に相当する。副王制という新しい制度**にもかかわらず**、南北アメリカ大陸におけるスペインの権威が弱まっていく一方で、アメリカ生まれの官僚たちの力は強化されたのであった。

---

1 Inca Empire インカ帝国。121ページ参照　Aztec Empire アステカ王国(帝国)。123ページ参照　the Conquest スペイン人によるアメリカ大陸の征服・植民地化　immunity 免疫
2 encomienda エンコミエンダ制。先住民の保護とキリスト教化を条件に、国王が入植者に対し、先住民への課税と労役を認めた制度　allot …を割り当てる　overlord 支配者、大領主　be supposed to *do* ～することになっている　**3** observe …を守る、順守する　unlimited control 無制限の支配・管轄権　assert …を主張する　viceroyalty 副王の支配(統治領)　Peru, La Plata, New Granada, and New Spain ペルー、ラプラタ、ニュー・グラナダ、ニュー・スペイン。ラプラタは現在のアルゼンチン、ニュー・グラナダは現在のコロンビア・ベネズエラ・パナマを含む地域、ニュー・スペインは現在のメキシコ・合衆国南西部などからなる

Chapter
5

近代
—産業革命／アメリカ独立革命／香港の返還

Modern Period:
The Industrial Revolution, American Revolution, and Hong Kong's Reversion

ジョージ・スティーヴンソンの蒸気機関車「ロケット号」

56

Europe 18世紀後半～19世紀前半

The Industrial Revolution in Britain and Europe

The British people of the 18th century did not use the **term** Industrial Revolution. One of its strong advocates was a **celebrated** historian, Arnold Toynbee, and partly as a result of his efforts, the term became common among British **academics** in the late 19th century. They **applied** this term **to** the period between roughly 1750 and 1850. The main **features** of the revolution were rapid growth of the industrial workforce, **expansion** of industrial products (especially **coal** and iron), increasing **productivity** of modern factories, and development of new technologies.

The Industrial Revolution caused mass population movement from **rural** to urban areas. Because of the migration to industrial cities, the urban upper-middle class achieved higher **social status**, and formed a new urban culture, while **unemployed** (and healthy) young men were housed in the workhouses which were **established** by the new Poor Law in 1834, and whose conditions were said to be even worse than prisons.

In the early 19th century, Britain was proud of being the "world's factory." **Nevertheless**, countries such as Germany and France caught up with and in some fields moved **ahead of** Britain. **For instance**, German pig iron production, a mere 40,000 tons in 1825, soared to 150,000 tons a decade later and reached 250,000 tons by the early 1850s. French coal and iron **output doubled in** the same span—huge changes in national capacities and the **material** bases of life. At the end of the century, Britain was not a forerunner of modern industries, but its **profit** came mostly from capital export and finance. (256)

イギリス産業革命とヨーロッパ

18 世紀のイギリス人は「産業革命」という**用語**を使うことはなかった。この言葉を唱えた有力者には、**著名な**歴史家アーノルド・トインビーを挙げることができる。そして 19 世紀後半のイギリスの**学者**の間でこの語が有名になったのは、一つにはトインビーのおかげである。彼らは産業革命という語をおおよそ 1750 年から 1850 年までの時期**に適用していた**。その革命の顕著な**特徴**として、工業に携わる人口の急激な増加、工業製品の生産**拡大**（とりわけ**石炭**と鉄鋼）、近代的な工場による**生産性**の向上、新しい科学技術の発達があると考えていた。

産業革命は、**農村**から都市地域へと大量の人口移動をもたらした。工業都市への人々の移動によって、都市の中産階級上層部は**社会的地位**を向上させ、新しい都市文化を創り上げていった。他方、（健康でありながら）**職を持たない**若い男性は、「救貧院」に押し込められた。この救貧院制度は 1834 年の改正救貧法によって**確立し**たもので、その状況は刑務所よりひどいと言われるほどだった。

19 世紀前半、イギリスは誇らしげに「世界の工場」と名乗っていた。**しかしながら、**ドイツやフランスなどの国家がイギリスに追いつこうとしており、分野によってはイギリスを**上回って**いた。**たとえば、**ドイツの銑鉄（せんてつ）生産量は 1825 年には 4 万トンに過ぎなかったが、10 年後には 15 万トンに急増し、1850 年代初めまでには 25 万トンに達していた。また、フランスでも同じ時期に石炭と鉄鋼の**生産**が**倍増し**ており、国力と人間の**物質的な**生活の基盤に巨大な変化をもたらしたのである。19 世紀末にはもはやイギリスは近代工業のトップランナーではなく、彼らの**富**の源泉は、海外への資本輸出と金融業になっていたのである。

---

1 advocate 主張者　Arnold Toynbee アーノルド・トインビー〈1852-83〉。イギリスの経済史家、社会改良家　workforce 総労働力人口　**2** migration 人口移動、移住　upper-middle class 上流中産階級。upper classとmiddle classの中間の階級　workhouse 救貧院。救貧法に基づいて貧民を収容したが、環境は劣悪で、院内では過酷な労働を課した　new Poor Law 1834年改正救貧法。16世紀以来の方式を改め、施しではなく救貧院中心の救済に移行した　**3** catch up with ... …に追いつく　pig iron 銑鉄（せんてつ）。溶鉱炉によって作られる高炭素の鉄のこと　soar to ... …まで急上昇する　forerunner 先駆者、先人　capital export 資本輸出。モノの輸出ではなく、主に先進国の大手企業が外国に資本を投下し利益を上げること

57

Europe 1789～1804年

The French Revolution

The "Ancien Régime" was overthrown in 1789 by **revolutionaries** calling for "Liberty, Equality, and **Fraternity**." There were three **Estates** before the revolution: the **clergy**, the **noblemen**, and the **plebeians**. France lacked equality. The clergy and nobles were privileged, and exempt from many taxes. Most taxes were paid by the Third Estate which included the bourgeoisie, **artisans**, and **peasants**. Peasants shouldered the heaviest burden of **out-of-date** feudal taxation.

In 1788 the **extravagant** Louis XVI **summoned** the Estates General to increase his **revenue**, but the Estates refused. With the Third Estate leading the way, including some nobles and clergymen, the estates became the "National Assembly." An infuriated Paris **mob captured** the Bastille prison to release prisoners, and peasants **rioted** throughout the country.

Fearing **anarchy**, the privileged estates **abandoned** feudal rights. The Assembly adopted the Declaration of the Rights of Man and of the Citizen in 1789 and **subsequently** France became a constitutional monarchy.

Louis XVI was an indecisive king. He **opposed** the revolution, and the people **mistrusted** him. In 1791 the King tried to escape, but he was captured, and a **decree** was passed that abolished royalty. Louis XVI was sent to the guillotine.

The new republic needed a new **constitution**. The powerful "Jacobin Club" ruling with **terror** enacted a **republican** constitution. The leader Robespierre **dominated** the country, but the people were tired of **bloodshed**, and wanted **order**. He was sent to the guillotine in 1794. After his death, a three-consulate government was formed, one of the consuls being Napoleon Bonaparte. He obtained great **fame** with his victories over the **anti-revolutionaries**, and in 1804 Napoleon took the throne, ending the French republic. (272)

フランス革命

フランスでは1789年に「旧制度（アンシャン・レジーム）」が、「自由、平等、**博愛**」を求める**革命勢力**によって打倒された。革命前には**聖職者**、**貴族**、**平民**の三**身分**が存在し、当時のフランスには平等が存在しなかった。聖職者と貴族は特権階級であり、多くの税を免れていた。税の大半は、第三身分、すなわちブルジョワジー、**職人**、**小作農民**によって負担させられていた。さらに小作民は、**時代遅れの**封建的な賦課を負わされていた。

1788年、**贅沢三昧をしていた**国王ルイ16世は、**歳入**増加をねらって三部会**を招集した**。ところが三部会はこれを拒否した。第三身分は、貴族、聖職者の一部とともに、革命を先導し、三部会は「国民議会」と改められた。そこで激怒したパリの**群衆**は、囚人解放のためバスティーユ監獄**を占拠し**、小作民も全国的な**一揆を起こした**のである。

無政府状態を恐れた特権階級は、封建的賦課**の廃止に踏み切った**。国民議会は1789年に人権宣言を制定し、**その後**フランスは立憲君主制に移行した。

だが、ルイ16世は優柔不断な王であった。彼は革命**を拒み**、国民は王**に不信の念を抱いた**。1791年、王は逃亡を図ったが捕縛されてしまい、王政廃止の**命令**が公布された。ルイはギロチン刑に処された。

新しい共和国は新**憲法**を必要とした。強力な「ジャコバン派」は**恐怖**政治を敷き、**共和主義的**な憲法を制定した。その指導者ロベスピエールは国**を支配した**が、もう国民は**流血**にうんざりしており、彼らは**秩序**を欲した。1794年にロベスピエールがギロチンにかけられ死亡すると、3人の統領からなる統領政府が組織された。その中の一人がナポレオン・ボナパルトである。彼は**反革命勢力**と戦い、勝利を収めて大いに**名声**を得た。1804年、彼がフランス皇帝に即位したことで、フランス共和制は終焉を迎えたのであった。

---

1 Ancien Régime 旧制度。フランス革命以前の絶対王政期の政治・社会制度　overthrow …を転覆させる、倒す　lack …を欠いている　privileged 特権を与えられた　exempt from ... …を免除された　bourgeoisie ブルジョワジー。(封建的勢力と労働者に対する)ブルジョワ階級、資本家階級　**2** Estates General 三部会。聖職者・貴族・第三身分からなる身分制議会　National Assembly 国民議会〈1789-91〉　infuriated 激怒した　Bastille prison バスティーユ牢獄。主に政治犯を収容する監獄　**3** adopt（議案など）を採択する　constitutional monarchy 立憲君主制　**4** indecisive 優柔不断な　guillotine ギロチン。最も苦痛の少ない処刑具として導入された　**5** Jacobin Club ジャコバン派。フランス革命期の政治結社　consulate government 統領政府。ナポレオンが第一統領となった　Napoleon (Bonaparte) ナポレオン・ボナパルト〈1769-1821〉。コルシカ島生まれのフランスの将校。初代フランス皇帝〈在位1804-15〉　take the throne 王位に就く

58

Europe 1800年代

Nationalist revolutions across Europe

Following Napoleon's defeat in 1815, European monarchies **were restored**. However, the **rising** middle classes who **profited** from industry and commerce hoped to take political power from the old landed **aristocracy**. The former wanted to replace the monarchs with a **constitution** and a legislative assembly that would **represent** them. In 1848 **unrest** started in France, where the peasants and urban working class suffered from hunger, unemployment, and a lack of political power. **Uprisings** followed in the minor principalities of Germany, with people **calling for** unification and national self-determination.

Otto von Bismarck, chief minister of Prussia, sought to unify the **loose** German Confederation into a full nation-state. Bismarck made a **temporary alliance** with Austria to defeat Denmark which controlled a nothern part of Prussia. Two years later he provoked a war with Austria. By defeating the latter, Prussia became the preeminent power in northern Germany. Bismarck then **waged war on** France, defeating it in the Franco-Prussian War of 1870-1871. As a result of this, Germany was united. In 1871 King William I of Prussia became **Kaiser** of a new German Empire, the most populous and industrially **advanced** in all of Europe.

In southern Europe, another nation was forming. In 1860, the Italian **guerrilla** leader Giuseppe Garibaldi **launched** a campaign of **volunteers** to liberate Sicily and Naples from Spanish control. In northwest Italy, another leader **expelled** the Austrians and united other Italian states. In 1861, the kingdom of Italy was established, with Victor Emmanuel II as king of the united country. By 1870, it had acquired both Veneto—the region **surrounding** Venice—and the historic capital, Rome. (265)

ヨーロッパ全土に広がったナショナリズム革命

1815年のナポレオンの敗北の結果、ヨーロッパの君主制は**復活した**。ところが、当時商工業で**利益を得た新興**中産階級は、旧来の地主**貴族勢力**から政治的権力を奪うことを望んでいた。新興階級は、自分たちの利害**を代弁して**くれる**憲法**と立法議会が君主に取って代わることを望んだ。1848年になると、フランスでは**不穏な状況**が広がっていた。そこでは貧農や都市労働者階級が飢えや失業に苦しみ、政治的権利を欠いていることに不満を募らせていた。さらに**民衆蜂起**がドイツの小さな領邦国家でも続き、民衆はドイツの統一と民族自決**を要求していった**。

そのころプロイセン（プロシア）宰相オットー・フォン・ビスマルクは、**緩やかな**ドイツ連邦を完全な国民国家に統一することを企てていた。ビスマルクは、**暫定的に**オーストリアと**同盟**を結ぶことで、プロイセンの北部を支配していたデンマークを下した。ところがその2年後、プロイセンはオーストリアと戦争状態に入った。プロイセンがオーストリアに勝ったことで、プロイセンは北ドイツを代表する国家となった。続いてビスマルクはフランスに**宣戦布告し**、プロイセン・フランス（普仏）戦争（1870～71）でフランスを破った。これによってドイツはついに統一を実現した。1871年、プロイセン王ヴィルヘルム1世は新しく生まれたドイツ帝国**皇帝**（カイザー）となったのである。ドイツ帝国は全ヨーロッパで最も人口が多く、工業の**発展した**国家となった。

南ヨーロッパでも、別の新しい国家が生まれつつあった。1860年、イタリア**非正規軍の**指導者、ジュゼッペ・ガリバルディは、スペインの支配下にあったシチリア島とナポリを解放するため、**志願兵**を組織し戦闘**を開始した**。このころ別のイタリア指導者が、イタリア北西部からオーストリア勢力**を一掃し**、残りのイタリア国内を統一した。1861年、統一国家の国王としてヴィットーリオ・エマヌエーレ2世を戴くイタリア王国が建国された。1870年までにイタリア王国は、ヴェネツィアの**周辺**領域であるヴェネト州、さらに歴史的な首都ローマをも獲得したのだった。

---

1 landed 土地を持った、地主の　legislative 法律制定の、立法の　principality 公国、侯国　national self-determination 民族の自己決定、民族自決の原理　**2** Otto von Bismarck オットー・フォン・ビスマルク。プロイセン首相、ドイツ帝国初代宰相　German Confederation ドイツ連邦　provoke …を引き起こす　preeminent 抜群な、顕著な　King William I ヴィルヘルム1世。プロイセン王、ドイツ皇帝　**3** Victor Emmanuel II ヴィットーリオ・エマヌエーレ2世。イタリア王国初代国王

59

Europe 1848年

Marxism and the Communist Manifesto

With the **spread** of **industrialization** in the first half of the 1800s, large numbers of people in Western Europe and America migrated from the countryside in order to work in urban factories. As cities grew, two new social classes emerged: the industrial middle class and the industrial working class. The former built factories, bought machines, and **developed** markets. The latter worked long hours under dangerous conditions in the factories, **mills**, and **mines** and lived in crowded slums.

Reformers of the period saw this industrial capitalism as **brutal** and **heartless**. Comparatively **moderate** reformers formed trade unions in order to achieve better working conditions step by step. More **radical** reformers wanted to **abolish** the capitalist system completely. They **proposed** a socialist society based on theories of two Germans.

In 1848 Karl Marx and Friedrich Engels published *The Communist Manifesto*, which **blamed** the horrible working conditions in factories on capitalism. The ideology that we refer to as Marxism says that world history is the story of "class **struggles**." Oppressors own the **means** of production, including raw materials, land, money, and factories. This gives them control over government and society as a whole. The other group own nothing and depend completely on the oppressors.

Marx predicted that the oppressed would rise up and violently **overthrow** the oppressor class. This revolution would **eventually** lead to a **classless** society, in which the state, which had been a **tool** of the oppressors, would **gradually** disappear. Marxist **doctrine** of social revolution appealed to groups in various countries and was feared by others. (254)

マルクス主義と共産党宣言

1800年代の前半、**工業化**の**進展**に伴って、西ヨーロッパとアメリカ合衆国の多くの人々は、都会の工場で職を得るために地方から移動していった。そして都市の成長とともに、2つの新しい社会階級が生まれた。一つは工業を経営する中産階級であり、もう一つは工業で働く労働者階級である。前者は工場を建て、機械を購入し、市場**を拡大していった**。後者は工場、**製作所**、**鉱山**などの危険な労働条件下で長時間労働に従事し、ごった返すスラムに住んでいたのである。

当時の改革者たちは、こうした産業資本主義を**残酷で無慈悲な**ものと考えていた。中でも比較的**穏健な**人々は、段階的により良い労働条件を実現する目的で、労働組合を結成した。他方、より**急進的な**人々は資本主義制度そのもの**を**完全に**廃止する**ことを望んだ。彼らは、2人のドイツ人の理論に沿って、社会主義社会**を提案していった**。

1848年、カール・マルクスとフリードリヒ・エンゲルスが『共産党宣言』を出版した。この本は資本主義の下での工場における身の毛もよだつような労働状況**を非難している**。私たちがマルクス主義と称しているイデオロギーは、世界史とは「階級**闘争**」の歴史だ、とするものである。抑圧者たちは、原料、土地、カネ、工場などの生産**手段**を所有者している。生産手段を保有することで、彼らは政府、さらには社会全体をも支配することになった。もう一つのグループは何も所有せず、抑圧者たちに完全に依存している。

抑圧されている者は立ち上がり、抑圧的な階級を暴力によって**転覆させる**だろうとマルクスは予言していた。この革命が成功したら、**ついには階級のない**社会をもたらすだろうと考えられた。そうした無階級の社会では、抑圧者の**道具**に成り下がってしまった国家は**徐々に**消滅すると見られていた。社会主義革命についてのマルクス主義の**原則**は、多くの国で社会主義集団に訴えかけるものであり、有産階級を恐怖に陥れたのだった。

---

1 migrate 移動する、移住する　emerge 現れる　**2** industrial capitalism 産業資本主義　comparatively 比較的　trade union 労働組合。米語ではlabor union　step by step 少しずつ　**3** Karl Marx カール・マルクス〈1818-83〉。ドイツの経済学者、哲学者、科学的社会主義の提唱者。主著『資本論』　Friedrich Engels フリードリヒ・エンゲルス〈1820-95〉。ドイツの社会主義者・経済学者。マルクスと協力して科学的社会主義の理論を生み出した　*The Communist Manifesto*『共産党宣言』。マルクスとエンゲルスの協同で発表された共産主義綱領　refer to as ... …と呼ぶ　oppressor 迫害者、抑圧者　**4** predict …を予言する　rise up 蜂起する、立ち上がる　lead to ... …に導く、至る　appeal to ... …に訴える

60

North America 1776～83年

American Revolution

During the French and Indian War, most American colonists **loyally** fought for England against France. After the expensive war, **Parliament** taxed the colonists for their own defense. Parliament also **prohibited settlement** west of the Appalachians, to prevent further expensive **conflict** with Native Americans.

To the colonists these policies were **unjust**. They **resented** being taxed without **representation** in Parliament and being prevented from settling **valuable** land. Some Americans felt their liberties **were threatened** by British **tyranny**. They **protested** the Stamp Act of 1765, which required them to pay for **revenue stamps** on all legal documents. They protested **duty** on tea, leading to the Boston Tea Party in 1773, in which colonists dumped a cargo of tea into Boston's harbor.

When Britain imposed **repressive** measures against Massachusetts for the Tea Party, **delegates** from the colonies **assembled** and voted to **ban** all British **imports**. Resentments led to military conflict in 1775, when British troops exchanged fire with armed colonists at Lexington and Concord. Open **warfare** began, and on July 4, 1776, the Continental Congress **endorsed** the **Declaration of Independence**.

Britain sent **well-armed troops** to **suppress** the untrained colonial militias. The colonial volunteers, however, had several **advantages**. They knew the terrain, were resupplied locally, and were forged into an **effective** force by their **commander-in-chief**, George Washington. The British **had the upper hand**, but could not **decisively** defeat the colonial troops. When the French came to the aid of the colonists, however, the British were defeated. In 1783 the British **recognized** U.S. independence. (248)

アメリカ独立革命

フレンチ・インディアン戦争では、アメリカ入植者の大半は**忠実に**イギリスに与し、フランスと戦った。膨大な戦費を費やした戦争のあと、イギリス**議会**は入植者たちに対して、防衛費のために課税を行った。また議会は、アパラチア山脈から西の地域の**植民活動を禁止した**。それはアメリカ先住民とのさらに戦費を要する**戦争**を回避するためであった。

植民地側にとって、こうした政策は**不正な**ものだった。彼らは議会に**代表**を送ることなく課税されること、**価値ある**土地への入植を禁じられたことに**激怒していた**。アメリカ人の中には、自分たちの自由がイギリスの**専制政治**により**危機にさらされている**と感じる者もあった。そこで彼らは、すべての法的文書に**収入印紙**の貼付を求めた1765年の印紙法に**抵抗した**のである。植民地側は茶**税**にも反対し、これは結果的に1773年にボストン茶会事件となった。この事件で、アメリカ側は茶箱をボストン湾に投げ捨てたのだ。

茶会事件を起こしたマサチューセッツ植民地に対して、イギリスが**抑圧的な**措置を強制的に執行すると、植民地の**代表**は**会合し**、イギリスの輸入品すべてを**禁輸にする**と議決した。この怒りは1775年には武力闘争へと発展し、両者はレキシントンとコンコードで交戦した。正式に**戦争**が始まると、1776年7月4日、大陸会議は**独立宣言を承認した**のである。

軍事訓練を受けていない植民地民兵の動き**を鎮圧する**ため、イギリスは**完全武装の軍隊**を派遣した。ところが、植民地義勇軍にとっては**有利な点**が多々あった。彼らは地理を熟知していたし、アメリカ各地で補給を受けており、ジョージ・ワシントン軍**司令官**の指導力により、**強力な**軍隊に変貌していた。イギリス軍は**優勢であったが**、植民地側に対して**決定的な**勝利を収めることはできなかった。しかも、フランスが植民地に味方して参戦したことで、イギリスは敗北した。1783年、イギリスはついに、アメリカ合衆国の独立**を承認した**のである。

---

1 French and Indian War フレンチ・インディアン戦争。ヨーロッパでの七年戦争〈1756-63〉中、フランス軍がアメリカ先住民と結んで英国と戦った　Appalachians アパラチア山脈　**2** prevent from *do*ing ～することを禁止する　Stamp Act 印紙法。英国が歳入を得るために、北米植民地では公文書や商業上の書類すべてに所定額の印紙を貼ることを規定した　dump …を投げ捨てる　**3** impose …（税金・義務など）を課す　exchange fire with ... …と交戦する　**4** volunteers 義勇軍　terrain 地理、地勢　be forged into ... …に作り上げられる　George Washington ジョージ・ワシントン。独立戦争の総指揮官で米国初代大統領〈在任1789-97〉

61

North America 1803年

Louisiana Purchase

In 1800, the North American **continent** was divided into three regions. Americans controlled the east from **the Atlantic** to the Mississippi River. The French claimed a huge territory west of the Mississippi called Louisiana. The Spanish controlled the southwestern region and Mexico. But there were few French and Spanish **residing** in their regions, and the Americans were pushing westward.

Because the port city of New Orleans was claimed by the French, it was closed to Americans. That meant that the Americans did not have **vital** freedom of **navigation** on the Mississippi River to transport goods to the **Gulf** of Mexico. U.S. President Thomas Jefferson sent two **officials** to France to **negotiate** the purchase of that city. Napoleon's **ambitions** for empire were enormous, but French **troops** had already been ousted from Haiti and were fully engaged in warfare with the British in Europe. Napoleon did not have troops to defend New Orleans, much less the rest of Louisiana territory.

The French offered the American officials not only the city itself but the entire Louisiana territory for $15 million. Napoleon gained money for his military campaigns against Great Britain. The Americans doubled the size of their new country, gained full control of the Mississippi, and obtained enormous resources including land, forests, **minerals**, and **wildlife**. In one stroke, American territory extended from the Atlantic to the **Rocky Mountains**.

The Louisiana Purchase changed American domestic history. Within two decades Americans **migrated** westward in large numbers, changing the political balance of the **developing** country and pushing Native Americans further and further west. (257)

アメリカのルイジアナ買収

Audio 61

1800年、北アメリカ**大陸**は3つの地域に分かれていた。アメリカは、**大西洋**岸からミシシッピ川までを支配していた。フランスは、ルイジアナと言われるミシシッピ川西方の広大な地域の領有を主張していた。スペインは、北アメリカ南西部とメキシコを領土としていた。だが北米地域に**住む**フランス人、スペイン人の数は少なく、アメリカが西方に勢力を拡大しつつあった。

港湾都市ニューオーリンズはフランスが領有権を主張していたため、アメリカには門戸が閉ざされていた。この閉鎖により、アメリカは、メキシコ**湾**に物資を輸送する際に**極めて重要な**、ミシシッピ川の自由な**航行**ができなかった。そこでトマス・ジェファソン大統領はニューオーリンズの買収**交渉をする**ため、2人の**政府官吏**をフランスに派遣した。当時ナポレオンはフランス帝国という大きな**野望**を抱いていたが、フランス**軍**はすでにハイチから一掃されており、ヨーロッパではイギリスとの戦争にかかりきりになっていた。ナポレオンはニューオーリンズ防衛のための兵力は持ち合わせておらず、それ以外のルイジアナ植民地全体の防衛となればなおさらのことであった。

フランスは合衆国を代表した官吏に対して、ニューオーリンズだけでなくルイジアナ植民地全体を、1,500万ドルで売却することを提案してきた。これでナポレオンは、対イギリス戦争の戦費を得られたのだった。一方、合衆国では新しい共和国の領土が2倍になり、ミシシッピ川の支配権を得たことで、土地、森林、**鉱物資源**、**野生生物**を手に入れた。そして合衆国の領土は大西洋岸から**ロッキー山脈**にまで、一挙に拡大したのである。

ルイジアナ購入は、合衆国の歴史を書き換えることになった。以後20年間で、膨大な数のアメリカ人が西方に**移動していった**。その結果、**発展中の**国内の政治的なバランスが変わり、北米の先住民族はさらに西へ西へと追い詰められていったのだった。

タイトル purchase 購入、譲り受け　1 Mississippi River ミシシッピ川。アメリカ合衆国中部を北から南へ流れる。全長3,780kmの合衆国最大の河川　claim …を主張する、要求する　Louisiana ルイジアナ。1682年、カナダから移住したフランス人がルイ14世にちなんでルイジアナと命名　2 New Orleans ニューオーリンズ。ミシシッピ川の河口上流の北岸に位置する都市　closed 閉鎖されて　Thomas Jefferson トマス・ジェファソン。第3代米大統領〈在任1801-09〉。独立宣言の起草に重要な役割を果たした　oust from ... …から排除する　engage in ... …に従事する　much less まして～ない　3 campaign 軍事行動、戦闘　in one stroke すぐに、あっという間に　4 Native American 先住アメリカ人。American Indianに代わる標準的な名称となっている

62

North America 1861〜65年

U.S. Civil War

As the United States grew, several **issues** divided the states from one another. First, the northern states were settled by a high percentage of **immigrants**, who worked on small farms or in factories. The southern states were settled by a limited group of immigrants, who either built large **plantations** or survived by working small farms. The second issue was the purchase of enslaved people of African descent who were forced to produce **sugarcane**, tobacco, and cotton.

The North and the South **split over** issues of trade tariffs on goods from Europe and political power in the U.S. Congress. As more immigrants arrived in the North, the population and political balance tilted toward the North. As new states were established, whether they were to prohibit or allow **slavery** became a major political issue.

The southern states began to secede from the Union and war **broke out** at Fort Sumter, in Charleston **harbor**, in 1861. In what became the Civil War, the northern army devastated the South with better weaponry, a larger army and navy, and superior **supplies**. President Abraham Lincoln **issued** the Emancipation Proclamation, which took effect at the beginning of 1863, **freeing** the slaves of the southern states. Finally, worn down by superior force, the southern General Robert E. Lee surrendered to General Ulysses S. Grant in 1865, ending a four-year war.

This did not immediately bring the states together, but the enslaved blacks of the country were **legally** free. The **scars** of the Civil War remain in the issues of the civil rights movement (1954-1968), affirmative action, and the Black Lives Matter movement. (264)

アメリカ南北戦争

アメリカ合衆国が成長を続けるにつれて、いくつもの**問題**が州同士を対立させた。第一に、北部諸州の大部分は、小規模の農園や工場で働く**移民**によって植民が行われていた。他方、南部諸州では、少数のグループからなる移民によって植民が実施されていた。彼らは**大農園**（プランテーション）を建設するか、小規模農園を経営することで何とか生きてきた。第二の問題には、アフリカを起源とする奴隷売買の問題がある。こうした奴隷は**サトウキビ**、タバコ、綿花を強制的に生産させられていた。

北部州と南部州は、ヨーロッパから輸入される商品の関税問題と、連邦議会の政治的権力をめぐって**対立が強まった**。より多くの移民が北部に到着するにつれて、人口や政治のバランスは北部に偏っていった。新しい州が設けられると、そこで**奴隷制度**が許容されるか禁止されるかが、大きな政治的争点となった。

南部諸州は合衆国から離脱を始め、1861年にチャールストン**港**のサムター要塞で戦争の**口火が切られた**。南北戦争において、北軍は兵器の優秀さ、陸海軍の規模、優れた**補給**によって南軍を圧倒した。エイブラハム・リンカン大統領は奴隷解放宣言**を発令した**。宣言は1863年初めに発効し、南部諸州の奴隷**を解放した**。敵の圧倒的な武力に疲弊し、ついに1865年、南軍のロバート・E・リー将軍は北軍ユリシーズ・S・グラント将軍に降伏した。こうして、4年にわたる戦争は終わったのだった。

この戦争後も諸州がすぐさま団結することはなかったが、合衆国の黒人奴隷は**法的に**自由の身となった。南北戦争の**傷跡**は、今なお公民権運動（1954～1968）や、アファーマティブ・アクション、ブラック・ライヴズ・マター運動にも見て取ることができるのである。

---

1 enslaved 奴隷の　descent 血統、家系　**2** trade tariff 関税　U.S. Congress 合衆国連邦議会　tilt 傾く　**3** secede from ... …から脱退する、分離する　Fort Sumter サムター要塞。チャールストン港入り口にある要塞　devastate …を圧倒する、打ちのめす　Abraham Lincoln エイブラハム・リンカン。合衆国第16代大統領〈在任1861-65〉。南北戦争で国家の統一を達成したが、暗殺された　Emancipation Proclamation 奴隷解放宣言　take effect（法律などが）発効する　worn down すり減らされた　General Robert E. Lee ロバート・E・リー将軍〈1807-70〉。南北戦争の南軍の総指揮官　General Ulysses S. Grant ユリシーズ・S・グラント将軍〈1822-85〉。南北戦争の北軍総司令官で、第18代大統領〈在任1869-77〉　**4** civil rights movement 公民権運動。黒人差別撤廃を目指す非暴力による街頭運動　affirmative action アファーマティブ・アクション。雇用・教育といった分野で少数民族や女性などに対する差別をなくそうとする措置　Black Lives Matter movement ブラック・ライヴズ・マター（黒人の生命も大切だ）運動。黒人に対する暴力などの人種差別の撤廃を目指す

63

South America 1810〜20年代

Simon Bolivar and the liberation of South America

Portuguese and Spanish colonies in South America were governed by **officials** from these countries who lived in the colonies for political and economic **gain** before returning to their respective homelands. These officials dominated and **profited** from trade with the homeland. Descendants of Europeans who had settled **permanently** in those colonies disliked this **control**. By the end of the 18th century, the local elite began to **be influenced** by the political ideals of the successful American Revolution.

Jose de San Martin of Argentina and Simon Bolivar of Venezuela were among the local elite. They both believed that if any South American colony was to be free to become a country, the Spanish would have to be pushed out of all of South America. They **organized** local **resistance** and began fighting to free their own colonies from Spanish control.

San Martin freed Argentina, then **led** his troops across the Andes Mountains to free Chile. He later helped liberate Peru, with help from Bolivar in 1824. Bolivar was somewhat more **ambitious** than San Martin. He liberated Venezuela first, then liberated other regions controlled by the Spanish. His dream was to form a large union of South American countries called Gran Columbia. But soon after he became president of this union, civil wars **broke out**, dividing the regions into **independent** nations. They are today's Columbia, Venezuela, Panama, Ecuador, Peru and Bolivia. (227)

シモン・ボリバルと南アメリカ植民地の解放

Audio 63

南アメリカのポルトガル植民地とスペイン植民地は、宗主国から派遣された**官吏**によって統治されていた。これらの官吏は政治的、経済的な**利益**を狙って植民地に居住していたが、のちにそれぞれの母国に戻っていった。官吏たちは宗主国との貿易を支配し、そこから**利益を得ていた**。一方、これらの南米植民地で**永住の**途を選んだヨーロッパ人の子孫は、宗主国官吏の**支配**を快く思っていなかった。18世紀末になると、植民地に生まれたエリートは、成功を収めたアメリカ独立革命の政治理念に次第**に影響を受け**始めることになった。

アルゼンチン生まれのホセ・デ・サン＝マルティン、ベネズエラ生まれのシモン・ボリバルは、こうした植民地エリートである。彼らは、もし南アメリカの植民地が自由な国家となるなら、スペイン人はすべて南米から追放されるべきだと信じて疑わなかった。そして彼らは植民地での**抵抗運動を組織し**、植民地をスペインの支配から解放するための戦いを始めた。

サン＝マルティンはアルゼンチンを解放し、その後、手兵**を率いて**アンデス山脈を越え、チリをも解放した。1824年、サン＝マルティンはボリバルの支援を得てペルーの解放も手助けした。ボリバルはサン＝マルティンよりもさらに**野心家で**あったようだ。彼はまずベネズエラを解放すると、スペイン支配下の地域を独立させていった。彼の夢は、「大（グラン）コロンビア」と呼ばれる南アメリカ諸国の大連合を結成することだった。だが、ボリバルが大連合の大統領に就任すると間もなく、内乱が**勃発した**。大コロンビアの諸地域はそれぞれが**独立**国になっていった。これらの国家が、現在のコロンビア、ベネズエラ、パナマ、エクアドル、ペルー、ボリビアである。

タイトル Simon Bolivar シモン・ボリバル〈1783-1830〉。政治家・軍人。南米植民地をスペインの支配から解放し、コロンビアとボリビアの2共和国を創設した。ボリビアの名は彼にちなむ 1 respective それぞれの descendant 子孫、末裔 2 Jose de San Martin ホセ・デ・サン＝マルティン〈1778-1850〉。愛国者で軍人、政治家。チリとペルーをスペインから独立させた be pushed out of ... …から追い出される free ... from ～ …を～から解放する、自由にする 3 Andes Mountains アンデス山脈。ベネズエラからチリ、アルゼンチンまで延び、ほぼ南北方向に8,000km以上にわたって連なる大山脈 somewhat いくぶん、少々 liberate …を解放する、自由にする Gran Columbia 大コロンビア。南アメリカ北西部にあった国家〈1819-30〉。ボリバルが中心になって建国するが内部分裂により崩壊

64 Captain Cook and the Colonialization of Australia

James Cook, **commonly** called Captain Cook, is arguably history's greatest **maritime** explorer. His **bravery** and **decisiveness** have long been admired. The success of his explorations, however, partly resulted from his extensive use of modern science.

Cook himself was not a scientist, but he had excellent **associates** such as Sir Joseph Banks, who was educated at Oxford and for over 40 years was President of the Royal Society. Before joining in Cook's voyages, Banks **investigated** Newfoundland and Labrador. He happily joined Cook's explorations in order to observe the **transit** of Venus from Tahiti and attempt to discover the "unknown Southern Continent." **Cooperating with** leading scientists, Cook used Harrison's chronometer and lunar distances to **calculate** longitude. Cook also knew that eating citrus fruits was effective in preventing sailors from getting scurvy.

He brought painters on his voyages to record topographical research of unknown lands. Botanists on board expanded knowledge of the world's plant life. Banks collected many unknown plants and had the painters make detailed visual records of them. Banks's *Florilegium* is still **academically** highly valued.

Cook successfully charted New Zealand, the eastern coast of Australia, and Hawaii. He also investigated part of **Antarctica**, the northwest coast of North America, and the Kamchatka Peninsula. His greatest **achievement**, however, was the exploration of Australia. He landed at Botany **Bay**, Sydney, and **declared** it a British **possession**. Cook's discovery set the scene for the **colonization** of New South Wales and finally Australia itself. Unlike the **aggressive** British **imperialists** of the 19th century, it seems that Cook did not look down upon the native people, but **ironically** he was killed during a skirmish by native Hawaiians in 1779. (273)

キャプテン・クックとオーストラリア植民支配

一般に「キャプテン・クック」と呼ばれるジェームズ・クックは、史上最も偉大な**海上**探検家である。これまで彼の**勇気**と**決断力**は長く称賛の的であった。だがクックの探検が成功した一因は、彼が近代科学を広く活用したことによるものだ。

クック自身が科学者であったわけではない。しかし、彼にはジョセフ・バンクス卿といった優秀な**同僚**がいた。バンクスはオックスフォード大学の出身であり、40年以上にわたり、王立協会の会長を務めていた。バンクスはクックと航海に向かう以前、すでにニューファンドランド島とラブラドル半島**の調査に当たっていた**。バンクスはタヒチ島から金星の**運行**を観測し、さらには「未知の南の大陸」を発見する目的を持っており、クックの冒険旅行に喜んで参加したのであった。当時の指導的な科学者**と協力する**と同時に、クックは経度**を測定する**ため、ハリソン経線儀と月距を利用した。さらに彼は、船員を壊血病から守るためには柑橘類を食べるのが有効だとさえ知っていたのである。

クックは未知の土地についての地誌学的知識を増やすため、航海には画家を同乗させた。植物学者も冒険に参加し、世界の植物に関する知識は飛躍的に増大することとなった。バンクスは航海で多くの未知の植物を採集し、記録として画家に詳細な絵を描かせた。彼の『花譜』は、今なお**学問的に**高く評価されている。

クックはニュージーランド、オーストラリア東海岸、ハワイの地図作成に成功した。また、**南極大陸**の一部、北アメリカ大陸の北西沿岸、カムチャツカ半島を調査したが、最大の**功績**はオーストラリア探検だろう。クックはシドニーのボタニー**湾**に上陸し、その地のイギリス**領有を宣言した**。クックの発見は、ニューサウスウェールズ、最終的にはオーストラリア全土の**植民地化**に道を開くものだった。19世紀の**侵略的な帝国主義者**とは異なり、クックは先住民族を見下すことはなかった。しかし、**皮肉なことに**、1779年、彼はハワイ先住民との小競り合いで殺害されたのだった。

---

1 James Cook ジェームズ・クック〈1728-79〉。英国の航海家　arguably（通例比較級・最上級の前で）ほぼ間違いなく　admire …を称賛する　**2** Royal Society 王立協会　Newfoundland ニューファンドランド島。カナダ東岸の島　Labrador ラブラドル半島。カナダ東岸の半島　Tahiti タヒチ。南太平洋、ソシエテ諸島の主島　attempt to *do* ～しようと試みる　lunar distance 月距。太陽・惑星から月までの角距離　longitude 経度　citrus 柑橘類　effective in ... …に有効である　scurvy 壊血病　**3** topographical 地誌学の、地形学の　botanist 植物学者　**4** chart …の地図を描く　set the scene for ... …道を開く　look down upon ... …を見下す　skirmish 小競り合い、紛争

65

Central America　1791年

The Haitian Revolution

The Caribbean island of Hispaniola was divided in 1697. Haiti, on the west end was French, and the Dominican Republic, on the east end, was Spanish.

Haiti became one of the most **profitable** colonies in the Americas, exporting coffee, sugar, and cotton. These crops were produced by **enslaved** Africans working under white colonial planters. During the French Revolution, the white planters felt that the ideas of liberty and **fraternity worked against** their economic interest, so they decided to seek independence from France.

In 1791, a slave **rebellion broke out** led by a former slave named Toussaint L'Ouverture. After a string of military successes, he settled for peace with the French in 1794, the French **abolished** slavery, and L'Ouverture **was appointed** lieutenant governor of Haiti. In 1801, disregarding the wishes of Napoleon, he **overran** the neighboring Spanish colony, **freed** its slaves, and made himself governor-general of the entire island.

Napoleon was unwilling to see his profitable plantations and **strategic** ports taken from French control. French troops **invaded** the island in 1802. Receiving a promise that slavery would not be reintroduced to the island, L'Ouverture laid down his arms. It was a major mistake. Napoleon **broke his promise**, took L'Ouverture prisoner, and within a year L'Ouverture died in prison.

As the leader of the one and only successful slave insurrection in America, L'Ouverture became a martyr to the liberation of black slaves in the New World and a **frightening figure** to white European leaders who feared slave uprisings elsewhere, including the American South. (251)

ハイチ革命

「イスパニョーラ」と言われるカリブ海上の島は、1697年、西側のフランス領ハイチと、東側にあたるスペイン領ドミニカ共和国に分割された。

ハイチは、コーヒー、砂糖、綿花を輸出し、アメリカ大陸の中で最も**もうけの多い**植民地の一つとなった。これらの農産物は、白人の植民地農園主の下で働くアフリカ人**奴隷**によって生産されていた。フランス革命時代、白人農園主は、革命の「自由と**博愛**」の理念が、彼らの経済的利益**に反する**のではないかと考えていた。そこで彼らは、ハイチをフランスから独立させようと決めたのである。

1791年、かつて奴隷だったトゥーサン・ルーベルテュールという名の男に指導された奴隷**反乱**が**勃発した**。反乱の軍事的成功が続いたあと、ルーベルテュールは1794年にフランス側と和平を結び、フランスは奴隷制度**を廃止した**。そしてルーベルテュールはハイチ副総督**に任命された**のだった。1801年、彼はナポレオンの希望に反して隣のスペイン領植民地**を侵略し**、そこで奴隷**を解放し**、彼自身はイスパニョーラ島全体の総督に収まったのである。

皇帝ナポレオンは、このもうけの多い大農園（プランテーション）と**戦略的に重要な**港湾をフランスの支配から手放したくないと考えていた。1802年にフランス軍は島**に侵攻した**。二度とこの島に奴隷制をしかないとの約束を取り付けて、ルーベルテュールは戦闘を中止したが、これが大きな誤りとなったのである。ナポレオンは**約束を破り**、ルーベルテュールを捕虜にした。そして1年も経たないうちに、彼は獄死してしまった。

アメリカの奴隷反乱の唯一の成功をもたらした指導者として、ルーベルテュールは、新大陸で黒人奴隷解放を望む者にとっては殉教者であり、アメリカ南部を含む他の地域での奴隷蜂起に恐怖するヨーロッパの指導者にとって、**恐るべき人物**となった。

---

1 Hispaniola イスパニョーラ島。西インド諸島の島　Haiti ハイチ共和国。イスパニョーラ島西部の国家、首都ポルトーフランス　Dominican Republic ドミニカ共和国。イスパニョーラ島東部の国家、首都サント・ドミンゴ　**3** Toussaint L'Ouvertureトゥーサン・ルーベルテュール〈1743頃-1803〉。ハイチの将軍・政治家で、奴隷の反乱およびハイチ独立運動を指導　a string of ... 一連の…　settle for ... …で手を打つ　lieutenant governor（植民地の）副総督　disregard …に反する、…を無視する　governor-general（植民地の）総督　**4** be reintroduced to ... …に再導入される　lay down *one*'s arms 武器を捨てる、休戦する　take ... prisoner …を捕虜にする　**5** insurrection 暴動、反乱　martyr 殉死者、殉教者　uprising 反乱、暴動

66

Africa　1880～81年／1899～1902年

Boer Wars

The Boer Wars were **a series of conflicts** between Britain and the Boers in South Africa. In 1877, the British government decided to absorb the bankrupt Transvaal. The people of Dutch **descent** in the Transvaal **bravely** fought against Britain. In 1881 Transvaal soldiers overwhelmed the British troops, and Prime Minister Gladstone decided to withdraw from the area.

In 1886, however, the discovery of gold in the Transvaal brought about a **complete** change of the political and social situation in South Africa. Britain again made war against the Transvaal in 1899. Many Boers fought on as **guerrillas**, while the British army made "concentration camps" to accommodate Boer people. Poor sanitary conditions at these camps caused many deaths creating a great scandal in Britain. In 1902 the Boer republics were absorbed in the British territories, and the British government granted **self-governing status** to the Boers.

The **harsh** conflict in the Boer Wars provided many **lessons**. One fact that shocked the British ruling class was that many British **volunteer soldiers** were found to be unfit for **army service**. This clearly showed that the nutrition standards of the poor British working class were too low. The government felt the weakness of British armies, and military **reform** was carried out. The government and people began to think that "splendid isolation" was not a good **strategy**, considering that Germany and the U.S. were militarily **catching up with** Britain. The government groped for an **alliance** which resulted in the Anglo-Japanese Alliance in 1902. (246)

ボーア戦争

ボーア戦争（ブール戦争、南アフリカ戦争）とは、南アフリカにおけるイギリスとオランダ系ボーア人の間の**一連の紛争**のことである。1877年、イギリス政府は、国家破産に瀕したトランスヴァール共和国を併合することに決めた。だが、トランスヴァールのオランダ**系**住民はイギリスに対して**勇敢に**戦いを挑んだ。1881年にはトランスヴァール軍がイギリス軍を圧倒したため、グラッドストン英首相はこの地域からの撤退を決定した。

ところが1886年にトランスヴァールで金鉱が発見されると、南アフリカの政治・社会状況は**根本的に**変わってしまった。1899年、イギリスは再度トランスヴァール共和国と戦争を始める。ボーア人の多くは**ゲリラ**として戦ったが、対するイギリス軍は「強制収容所」を建設して、彼らを収容したのである。強制収容所の衛生状態は劣悪で多くの死者を出したため、イギリスではスキャンダルとなった。1902年、結局ボーア人の共和国はイギリス領に編入され、イギリス政府はここをボーア人の**自治領**として承認した。

ボーア戦争での**厳しい**戦いは、イギリスに多くの**教訓**を与えた。イギリスの支配エリートにとって最もショッキングな事実の一つは、イギリス軍の**志願兵**の多くが肉体的に**軍務**に不適格だと分かったことである。この事実は、イギリスの貧しい労働者階級の栄養状態があまりにも粗末だということを明らかに示していた。政府はイギリス陸軍の弱点を認め、軍制**改革**が実行に移された。さらに政府と国民は、「栄光ある孤立」**戦略**がもはや機能しないと考え始めていた。アメリカ合衆国とドイツが、軍事的にイギリス**に追いつきつつある**と考えてのことだ。イギリス政府は手探りで**同盟国**を求めており、その結果、1902年に日英同盟が締結されることとなったのである。

タイトル Boer ボーア(ブール)人。もとオランダ語で「農民」の意味。オランダ系の南アフリカ移住者とその子孫で、現在ではアフリカーナーと呼ばれる　1 absorb …を吸収合併する、併合する　bankrupt 破産した　Transvaal (Republic) トランスヴァール共和国。現南アフリカ共和国の北東部にあった国家で、ボーア人が多く居住していた　overwhelm …を圧倒する　(William Ewart) Gladstone（ウィリアム・ユワート・）グラッドストン。イギリスの自由党政治家、首相〈在任1868-74/80-85/86/92-94〉　withdraw from ... …から撤退する、引き上げる　2 concentration camp（捕虜・政治犯などの）強制収容所　accommodate …に収容する　sanitary 衛生上の、衛生的な　3 unfit for（特に精神的・肉体的に）…に不適格な　nutrition standards 栄養水準　carry out ... …を実行する　splendid isolation 栄光ある孤立。19世紀末、英国がどの欧州列強とも同盟関係を結ばず、孤立政策を取ったこと　grope for ... …を手探りで探す、求める　Anglo-Japanese Alliance 日英同盟

67

Asia 1839〜60年

The Opium War and the "Scramble for Concessions"

British overseas merchants started to export opium to Qing China in the 1810s. It was a very lucrative business for them. The British government expected that the export of Indian opium would redress the trade **imbalance** between Britain and China. However, opium smoking caused a high percentage of addicts among the Chinese people. The Opium War arose from China's **attempts** to **suppress** the trade in 1839. The Chinese government confiscated all the warehoused opium in Guangzhou. Britain regarded it as an encroachment on private **property** and a challenge to the **free trade principle**.

Hostilities broke out, and the small British forces quickly won a victory. The Treaty of Nanjing in 1842 and other agreements provided for payment of reparations by China, the cession of five ports for British trade and residence, and the right of British citizens to be tried by British courts. Other Western countries including France and the U.S. also demanded and were given similar privileges. Further, Britain gained a huge **benefit**: the cession of Hong Kong Island.

When trouble occurred between Britain and China in the 1850s, Britain was again victorious and gained the Kowloon peninsula two years following the 1860 Treaty of Beijing. In the late 19th century, much of Asia was divided up among the western countries, and China fell prey to them. Japan's gain of Taiwan in 1895 after the Sino-Japanese War, primed the pump. In 1898 Britain, France and Germany gained long-term leases of Weihaiwei, Guangzhouwan and Jiaozhou Bay, respectively. This colonization infuriated the Chinese and became one cause of the **collapse** of the Qing dynasty in the Xinhai Revolution of 1911. (269)

アヘン戦争と「中国租界の争奪戦」

1810年代に入ると、イギリスの貿易商人は中国（清朝）に対してアヘンを輸出し始めた。この貿易は商人にとってとても実入りのいい商売であったし、イギリス政府はインド産アヘンの輸出によって英中間の貿易**不均衡**が是正されることを期待したのである。ところが、アヘンの吸引によって中国人の間に非常に多くの中毒者を出してしまった。「アヘン戦争」は、1839年にこの貿易を**禁止し**ようとする中国側の**試み**から起こったものである。中国政府は、広州の倉庫に収められていたアヘンをすべて没収してしまった。だがイギリス側はこれを私有**財産**への侵害行為、**自由貿易主義**への挑戦と見なしたのであった。

英中間に戦争が起こり、小規模なイギリス軍はたちまち勝利を収めた。1842年の南京条約およびその他の協定は、中国側の賠償金支払い、イギリス人の貿易・居留のための5港の開港、イギリス国民の裁判がイギリス法廷で裁かれる権利を規定していた。フランスやアメリカ合衆国などの西洋諸国も同様の特権を中国に要求し、それらは認められた。さらに、イギリスは巨大な**利権**を獲得した。香港島の割譲である。

1850年代に英中間に問題が生じたとき、イギリスはまたも勝利を収め、1860年の北京条約で、九龍半島を獲得した。19世紀末、アジアの大半は西洋列強によって分割されてしまった。中国は彼らの餌食になってしまったが、これは日清戦争後、日本が台湾を獲得した（1895年）ことが導火線になったと見られる。1898年、英仏独3国はそれぞれ威海衛、広州湾、膠州湾の長期租借権を得た。だが、こうした植民地化の動きは中国人民を激怒させ、1911年の辛亥革命による清朝**崩壊**の一因となったのである。

タイトル opium アヘン　**1** lucrative 有利な、もうかる　redress …を是正する、矯正する　addict 中毒患者　confiscate …を没収する　Guangzhou 広州。中国南部広東省の省都　regard ... as ～ …を～と見なす　encroachment 侵害　challenge 異議申し立て、挑戦　**2** hostilities（複数で）戦争行為、交戦状態　Nanjing 南京。中国江蘇省の省都　reparations（複数形で）賠償金　cession 割譲、譲渡　try …を裁く　privilege 特権　**3** Kowloon peninsula 九龍半島、香港島対岸の半島　prey 餌食、食い物　Sino-Japanese War 日清戦争〈1894-95〉　prime the pump 導火線に火をつける　Weihaiwei 威海衛。中国山東半島北東岸の湾　Guangzhouwan 広州湾。中国広東省南西部　Jiaozhou 膠州湾。中国山東半島南岸　infuriate …を激怒させる　Xinhai Revolution 辛亥革命。革命勃発の翌1912年に清朝滅亡

68

Asia Pacific 1810年

Unification of the Hawaiian Islands

Most historians believe that the first settlers of the Hawaiian Islands were Polynesians from the Marquesas. They sailed across the **Pacific Ocean** in double-hulled canoes, possibly as early as the year 300. A **minority** view holds that the first settlers came later from Tahiti.

The early Hawaiians were **skilled** farmers and fishermen living in communal villages with a **strict** caste system of royalty, **priests**, **commoners**, and outcasts. Laws were outlined by the Hawaiian religious system of taboos called *kapu*, which determined social and personal behavior. In 1778 England's Captain James Cook made the first European landing on the shore of Hawaii. He called the islands the Sandwich Islands. A year later when he returned to Hawaii, he and his crew became **involved in** some sort of violence and he was killed.

Shortly thereafter an **ambitious** young chief named Kamehameha defeated several local rulers in battles on Hawaii. After **taking control of** the entire island, he set out to conquer all of the other islands in the **archipelago**. Beginning in 1795, he built up an **enormous army** and conquered the other islands one at a time. By 1810 he had conquered all of the islands and made himself the first king of the united islands.

Missionaries and European traders began arriving, and in 1843 a British **warship captured** Honolulu, demanding that Hawaii become part of the **British Empire**. **Eventually** Hawaiian, European, and American businessmen and plantation owners came to power. U.S. marines **overthrew** the monarchy and in 1898 the United States annexed Hawaii. It would become the 50th state in 1959. (260)

ハワイ諸島の統一

歴史家の大多数は、ハワイ諸島に初めて定住したのは南太平洋マルケサス諸島から来たポリネシア人であると信じている。早ければ紀元300年頃、彼らは2つの船体を持つカヌーで**太平洋**を航海してきたのだろう。だが、最初の定住者はそれよりも後にタヒチから来たとする**少数**意見もある。

初期のハワイ人は**腕の立つ**農夫や漁師であり、王族、**聖職者**、**庶民**、賤民からなる**厳格な**身分制度を持ち、共同生活をして村落に暮らしていた。ハワイの法律は「カプ」と言われる宗教的なタブー制度によって大枠が作られており、このタブーが社会の中での行動や個人の行いを規律していた。1778年、イギリスのキャプテン・ジェームズ・クックは、ヨーロッパ人として初めてハワイの沿岸に上陸した。彼はこの島々をサンドウィッチ諸島と呼んだ。その1年後、クックはハワイに戻ってきたが、彼と乗組員は暴力事件のようなもの**に巻き込まれ**、クックは殺害されてしまった。

それから間もなくして、カメハメハという**野心に富んだ**若い首領が、地方の有力者たちを戦いで破った。カメハメハはハワイ島全体**を支配下に置く**と、ほかのハワイ**諸島**すべての征服に踏み出した。1795年、彼は**大軍**を率い、ほかのハワイ諸島を一つずつ征服していった。1810年までにハワイ全土を手に入れたカメハメハは、自らをハワイ諸島連合の初代国王としたのである。

その後、キリスト教宣教師やヨーロッパの貿易商人が島に到着するようになった。1843年、イギリスの**軍艦**がホノルル**を占領し**、ハワイが**大英帝国**の領土になるよう要求した。しかし**結局のところ**、実権を握ったのはハワイ島民と、ヨーロッパやアメリカから来た実業家や大農園の領主であった。アメリカの海兵隊は王制**を転覆させ**、1898年にハワイ諸島を併合してしまった。そしてハワイは1959年に、合衆国の50番目の州になったのである。

---

1 Polynesians ポリネシア人　Marquesas マルケサス諸島。太平洋南部にある14の島からなるフランス領の諸島　double-hulled 2つの船体を持つ、二重船体の　Tahiti タヒチ島。太平洋南部にあるフランス領の島　**2** communal 共同生活をする　caste system 身分制度、社会的階級制度　outcast 賤民　outline …の輪郭を描く　taboo タブー、(宗教的な)禁忌　some sort of ... ある種の…　**3** Kamehameha カメハメハ〈1758?-1819〉。ハワイ諸島の統一者でカメハメハ朝の初代の王。カメハメハ1世、大王とも呼ばれる　set out to *do* ～し始める　one at a time 一度に一つずつ　**4** missionary 宣教師　marine 海兵隊　annex …を併合する

69

Asia 1800年代～1997年

Rise of Singapore and Hong Kong

Thomas Raffles, officer of the English East India Company, established Singapore as an island colony in 1824. Although the company did not **attach** much **importance to** the island and its attendant Straits Settlements, Singapore **rapidly** prospered as a centre of overseas trade. It became a crown colony in 1867. By 1900 four Malay states came under Britain's control and became a source of **tin** and **rubber**, while Singapore was **strategically** important in Southeast Asia and garrisoned.

World War II completely changed the situation. In 1942 Japan succeeded in **occupying** Singapore, which was a great **blow** to British hegemony in Asia. In 1963 Singapore became **independent of** British rule and a part of the Federation of Malaya, but Chinese-dominated Singapore disliked Malay-Islamic policies. Singapore became independent from Malaysia in 1965 under the strong leadership of Lee Kuan Yew, who established Singapore as an international commercial centre.

By 1898 British Hong Kong **consisted of** Hong Kong Island, Kowloon, and the New Territories. In 1917 Britain provided Hong Kong with a **well-organized** colonial **administration** under a governor and executive and legislative councils. Hong Kong prospered rapidly and in the 1920s and 1930s, the population increased due to refugees escaping China's **civil wars** and, after 1937, Japan's **invasion**. In 1941 Hong Kong was occupied by Japan, but British rule was restored four years later. After World War II Hong Kong developed as a commercial and industrial center, and in 1997 the whole colony reverted to China. Since reversion, Hong Kong has been a Special Administrative Region of the People's Republic of China, an autonomous territory. (261)

シンガポールと香港の台頭

イギリス東インド会社社員であったトマス・ラッフルズは、1824年に島嶼植民地としてシンガポールを建設した。東インド会社自体は、シンガポールにも、それに付随する海峡植民地にもさほどの**重要性を認め**なかったが、シンガポールは海外貿易の中心として**急速に**発展を遂げていった。1867年にシンガポールはイギリスの直轄植民地になるとともに、マレー連合州も1900年までにイギリスの支配下に入り、**スズ**と**天然ゴム**の産地となった。シンガポールは東南アジアの**戦略上の**要地であり、守備隊として軍が駐屯していた。

第二次世界大戦はこの地域の状況を一変させた。1942年、日本軍はシンガポールの**占領**に成功し、それはアジアにおけるイギリスの覇権に対する計り知れない**打撃**だった。1963年にシンガポールはイギリスの支配**から独立し**、マラヤ連邦の一部を占めることとなった。しかし、華僑が支配するシンガポールでは、イスラーム系のマレー人の政策が好まれず、1965年にリー・クアンユー首相の強大な指導力の下で、マレーシアからの独立を果たしたのである。そしてリー首相は、シンガポールを国際商業センターとして確立させていくこととなる。

1898年まで、イギリス領香港は、香港島、九龍、新界の3地域**から成り立っていた**。1917年、イギリス政府は、香港総督、行政委員会、立法委員会を擁する**組織的な**植民地**統治機関**を香港に与えた。1920、30年代に香港は急速に繁栄し、中国の**内戦**と1937年以降の日本軍の中国**侵攻**による難民によって人口も増加した。1941年、香港は日本に占領されたが、その4年後にはイギリスの支配が復活する。第二次世界大戦後の香港は、商工業の中心として発展を遂げ、1997年にすべての植民地が中国に返還された。それ以降、香港は自治権を持った領域として、中華人民共和国の特別行政区となっている。

---

1 Thomas Raffles トマス・ラッフルズ〈1781-1826〉。1819年にシンガポールに上陸し、発展の礎を築く　attendant 付随した　Strait Settlements 海峡植民地。ペナン、マラッカなどを含むマレー半島南部の旧英国直轄植民地　crown colony 英国直轄植民地　four Malay states マレー連合州(Federated Malay States)　garrisoned 軍隊が守備隊として駐屯する
2 hegemony 支配、覇権　Federation of Malay マラヤ連邦。マレー諸王国を中心に1957年に英国から独立　Lee Kuan Yew リー・クアンユー。シンガポール首相〈在任1959-90〉 **3** provid ... with ～ …に～を与える　refugee 難民　restore …を復活させる　revert to ... …へ復帰する、転向する　Special Administrative Region 香港特別行政区　autonomous 自治権のある

Chapter
6

現代
—第一次・二次世界大戦／冷戦／石油危機

Contemporary Period:
The First and Second World War, the Cold War, and Oil Shock

ブランデンブルク門前の「ベルリンの壁」に登る西ドイツ市民
（1989年11月10日）

70

1914～18年

The First World War

From 1814 through the rest of the 19th century, Europe experienced few major wars. This was due to the fact that Britain surpassed the other European **powers** in both economic and **naval** strength. But in 1871, Kaiser Wilhelm II united Germany and challenged the *Pax Britannica*. **In response**, Britain completed **rapprochements** with France and Russia, forming the Triple Entente in 1907. Germany then allied with Austria and Turkey.

War between the two **alliances** started in 1914 and the trench warfare continued for four years along the Western Front. On the Eastern Front, Russia was losing out to Germany, and the Russian people **were dissatisfied with** the tsar's despotism. In 1917, a revolution **broke out**. The new revolutionary government put an end to its military activities.

The U.S., meanwhile, remained **neutral** and enjoyed an economic boom from the manufacture and sale of munitions. Public opinion **hardened**, however, after Germany declared the unrestricted **submarine** warfare on ships supplying the countries of the Triple Entente, and American merchant ships were destroyed. The U.S. entered the war on the side of Britain and France. In 1918, Germany surrendered.

During the war, science and technology **brought about** a **drastic** change in the way countries fought one another. For the first time, aircraft, submarines, tanks, and poison gas were used, and 10 million soldiers were killed. (220)

第一次世界大戦

1814 年から 19 世紀末まで、ヨーロッパはわずかしか大戦争を経験していない。これはイギリスが経済力、**海軍**力において、他のヨーロッパ**列強**を圧倒していたという事実に基づいていた。だが、1871 年に入ると、皇帝ヴィルヘルム 2 世がドイツを統一し、「英国による平和（パックス・ブリタニカ）」に挑戦することとなった。**これに対して**、イギリスはフランス、ロシアとの**和解**を実現させ、1907 年に三国協商として結実した。ドイツはというと、オーストリア、トルコと同盟関係を結んだ。

2 つの**陣営**の間の戦争は、1914 年に始まり、西部戦線に沿って塹壕戦が 4 年にわたって続いた。一方、東部戦線においては、ロシアがドイツに対して敗北を重ねていた。しかもロシア民衆は、ツァーリ（皇帝）の専制政治**に不満を強めていた**。1917 年には革命が**勃発し**、新しい革命政権はロシアの軍事行動を終結させたのであった。

その間、アメリカは**中立**を維持しており、製造業と軍需品の販売によって、経済的な活況を呈していた。しかし、三国協商諸国に物資を供給している船舶に対して、ドイツが無制限の**潜水艦**攻撃を行うと宣言し、実際にアメリカの商船が破壊されると、アメリカの世論は**硬化した**。アメリカは英仏側に立って参戦し、1918 年にドイツは降伏した。

大戦中、科学技術は国家間の戦い方に**劇的な**変化**をもたらした**。史上初めて飛行機、潜水艦、戦車、毒ガスが使用され、1,000 万人もの兵士が命を落としたのであった。

---

1 surpass …にまさる、凌駕する　Kaiser Wilhelm II ヴィルヘルム2世。ドイツ皇帝・プロイセン王〈在位1888-1918〉。1918年の革命により退位　challenge …に異議を唱える、挑戦する　*Pax Britannica* ラテン語で「イギリスによる平和」の意味　Triple Entente イギリス、フランス、ロシア間の三国協商　ally with ... …と同盟を結ぶ　**2** trench 塹壕　Western Front 西部戦線。第一次世界大戦時のドイツ西方の戦線。1914年のドイツ軍の侵攻以来、4年にわたって膠着状態が続いた　Eastern Front 東部戦線。第一次世界大戦中、ドイツ、オーストリア＝ハンガリーの同盟軍と連合国が戦った東ヨーロッパの戦線　despotism 専制政治、独裁政治　put an end to ... …を終わらせる　**3** munitions（複数形で）軍需品、弾薬　unrestricted 無制限の　surrender 降伏する

71

Europe 1917年

Russian Revolution

Russian **peasants** were forced to work for the property owners even after the emancipation act of serfs of 1861 was enacted. The workers in St. Petersburg, who **groaned** in response to the tsar's despotism, demanded a **constitutional monarchy** in 1905, but many of them were killed on "Bloody Sunday". In May, the first "Soviet," a type of workers' council, was formed, and the people declared a **general strike**. In October, the government promised that the civil liberties would be **guaranteed**. The Russian bourgeoisie accepted the proposal, and seceded from the **revolutionaries**.

World War I impoverished the Russian common people. In March 1917, a revolution broke out in St. Petersburg, and the Romanov dynasty **was abolished**. **Laborers** and soldiers **rallied** at the Soviet led by the moderate Mensheviks, and formed a **provisional** government. At that time, Lenin, who had lived as an **exile** in Switzerland, retuned to Russia and brought about a proletarian socialist revolution. After heated discussions, Lenin and the Bolsheviks took the helm in November. In March 1918 the Bolsheviks **assumed** a new name: the Russian Communist Party. (179)

ロシア革命

ロシアでは1861年に農奴解放令が制定されたあとも、**小作農民**は地主のための労働を強いられていた。ツァーリ（皇帝）の専制政治**に不満を抱いていた**サンクトペテルブルクの労働者は、1905年に入ると**立憲君主制**を要求したが、その多くが「血の日曜日事件」で犠牲になった。同年5月、労働者評議会を意味する「ソヴィエト」が結成され、人民は労働者の一**斉ストライキ**（ゼネスト）を求めた。10月、帝国政府が市民的自由**を保障する**ことを約束したため、ロシアの市民階級（ブルジョワジー）はこの提案を受け入れ、**革命家たち**から離脱した。

第一次世界大戦によってロシア庶民の貧困は進んだ。1917年3月にはペトログラードで革命が勃発し、ロマノフ王朝は**廃止された**。**労働者**と兵士は「メンシェヴィキ」に率いられたソヴィエトに**結集し**、**臨時**政府を樹立した。だがその頃、スイスで**亡命**生活を送っていたレーニンがロシアに帰国し、プロレタリア社会主義革命を起こしたのである。白熱した議論の結果、11月に入ると、レーニンと彼を支持する「ボリシェヴィキ」が実権を掌握し、翌1918年3月にボリシェヴィキは「ロシア共産党」という新しい名称**を取り入れた**のであった。

---

1 emancipation act of serfs 農奴解放令。分有地は有償で譲渡されたため、農民は土地に拘束され続けた　St. Petersburg サンクトペテルブルク(当時はペテルブルク)。ロシア北西部、レニングラード州の州都　despotism 専制主義、独裁政治　Bloody Sunday 血の日曜日事件。日露戦争終結と民主化を求める市民・労働者に対し、軍が発砲した　Soviet ソヴィエト、労働者評議会　seced from ... …から脱退する　**2** impoverish …を貧しくする　Mensheviks「少数派」の意。穏健なロシア社会民主労働党右派　(Vladimir) Lenin（ウラジーミル・）レーニン〈1870-1924〉。ボリシェヴィキを率いてロシア革命を主導　proletarian プロレタリア(無産者、労働者)階級の　Bolsheviks ボリシェヴィキ。ロシア社会民主労働党左派で、急進的革命を主張　take the helm 実権を握る、支配する

72

Asia 1905～41年

Founding of the Republic of China and the Second Sino-Japanese War

The **reform** politics initiated by the Qing government after the defeat in the First Sino-Japanese War came too late. Revolutionaries advocated the **overthrow** of the **corrupted** empire. The leader was Sun Yat-sen, who is now revered as the father of modern China by Nationalists and Communists alike. In 1905, in Tokyo, he formed the Chinese United League. Its program **consisted of** what were called the "Three People's Principles": nationalism, democracy, and people's livelihood.

The Revolution of 1911 **overthrew** the Empire, and the new Republic was born. However, local military cliques made their own territories. Japan took advantage of this **confusion**. In 1928 Japanese military officers assassinated Zhang Zuolin, a strong **militarist** in Manchuria. Four years later, Japan declared the **restoration** of Puyi, the Qing's last emperor, and built the Manchukuo, Japan's **puppet state**. The League of Nations **disaffirmed** it, and the Chinese Nationalist Party led by Chiang Kai-shek aimed to **recover** Manchuria. In 1937 Japan started war against China, with which the U.S. and Britain sided. The Second Sino-Japanese War led to the Pacific War in 1941. (177)

中華民国の建国と日中戦争

日清戦争での敗北を受けて、清朝政府は政治**改革**を行ったが、それは遅きに失した。そこで革命家たちは**腐敗した**帝国**打倒**を訴えた。その指導者が孫文（孫逸仙）であり、彼は今日でも、民族主義者、共産主義者の双方から近代中国の父として尊敬を集めている。孫文は1905年、東京で「中国同盟会」を結成した。その綱領は「三民主義」、すなわち民族主義、民権主義、民生主義（国民の福祉）**から成り立っていた**。

1911年の（辛亥）革命によって清朝は**崩壊に追い込まれ**、新しい共和国が誕生した。ところが、地方の軍閥はそれぞれ自分の勢力圏を持っており、日本はこの**混乱**に乗じた。1928年、日本の陸軍は、満州（中国東北部）で強力な**軍閥指導者**・張作霖を暗殺してしまった。そしてその4年後、日本は清朝最後の皇帝溥儀を**復位**させ、日本の**傀儡国家**・満州国を建国したのだった。これに対して国際連盟は満州国**を認めず**、中国国民党は蒋介石に指導され、満州を**奪還し**ようとした。1937年に入ると、日本は中国との戦争を開始した。イギリスとアメリカは中国を支持することとなった。かくして、日中戦争は、1941年には太平洋戦争へと拡大していったのである。

---

1 First Sino-Japanese War 日清戦争〈1894-95〉。勝利した日本は、清から台湾と多額の賠償金を獲得した。Second Sino-Japanese Warは日中戦争を指す　advocate …を主張する、支持する　Sun Yat-sen 孫文（孫逸仙）〈1866-1925〉。中国の革命家。1911年に辛亥革命を指導し、中華民国臨時大総統に選出　be revered as ... …として崇拝される　Chinese United League 中国同盟会。辛亥革命を推進し、1912年に国民党に改組された　Three People's Principles（民族、民権、民生の）三民主義　**2** clique 徒党、派閥　assassinate …を暗殺する　Zhang Zuolin 張作霖〈1875-1928〉。日本の関東軍の陰謀による列車爆破で死亡　Manchuria 満州。中国の東北地方の旧称　Puyi 溥儀〈1906-67〉。清朝最後の皇帝、満州国皇帝　Manchukuo 満州国。満州と内モンゴル東部を占めた日本の傀儡国家　Chinese Nationalist Party 中国国民党。孫文を指導者として1919年に成立　Chiang Kai-shek 蔣介石〈1887-1975〉。日中戦争で抗日戦争を指導後、国共内戦に敗れて台湾に退いた　aim to *do* ～しようとする

73

Asia 1921年～現在

Chinese Communist Revolution and the Resurgence of China

In 1921, the Chinese Communist Party was born **under the guidance of** the Soviet Comintern. In 1931, the Party struggled against the Chinese Nationalist Party and formed a government in South-East China. Since 1935, the Communists had **cooperated with** the Nationalist Party against the Japanese Army. After Japan's **surrender** in World War II, the Communists restarted a **civil war** against the Nationalists. The Nationalists **fled** to Taiwan and the Communists founded the People's Republic of China (PRC) in 1949. Mao Zedong became an autocratic leader, and led the Cultural Revolution based on the personality **cult** to Mao which had been cultivated since 1965.

After Mao died in 1976, Deng Xiaoping formed his power base in 1983. Deng oppressed democrats at the Tiananmen Square protest of 1989. He and his **successors**, however, promoted the PRC's Economic Reform, by which the People's Communes **were abolished**, and the government **introduced** foreign **capital**. The PRC has become "the world's factory" and has great influence on world politics. (163)

中国共産主義革命と中国の復活

1921年、中国共産党は、ソヴィエト連邦の「コミンテルン」**の指導に基づき**結党された。1931年に入ると、中国共産党は中国国民党との闘争を始め、中国南東部に共産党政権を樹立した。しかし、1935年以降は日本軍に対抗するため、共産党は国民党**と協力関係に入った**。だが、(第二次世界大戦での) 日本の**降伏**後には、共産党は国民党に対して**内戦**を再開したのである。国民党は台湾に**逃れた**ため、共産党は1949年に中華人民共和国 (PRC) を建国した。新中国では毛沢東が独裁的な指導者となり、毛は「文化大革命」を指導した。そして1965年以降、中国では毛への個人**崇拝**が強制的に行われた。

1976年に毛沢東が亡くなると、1983年には鄧小平が権力基盤を固めていった。だが、鄧は1989年に起こった「天安門事件」で民主主義運動家の抗議活動を弾圧してしまった。ところが、鄧とその**後継指導者**は、中国の「経済改革」については推進していた。そのため「人民公社」は**廃止に追い込まれ**、政府は外国**資本を導入し**ていったのである。このように中華人民共和国は「世界の工場」となり、国際政治に強力な影響力を持つことになった。

---

1 Comintern コミンテルン。第三インターナショナルともいう。世界各国の共産党の国際組織　struggle against ... …と争う　Mao Zedong 毛沢東〈1893-1976〉。日中戦争では抗日戦争を指導し、戦後は国民党を打倒して中華人民共和国を建国　autocratic 独裁的な、専制的な　Cultural Revolution 文化大革命。大衆運動を利用した毛沢東主導による権力闘争。毛の死後に革命は否定された　**2** Deng Xiaoping 鄧小平〈1904-97〉。文化大革命で失脚するが、1978年以降は改革・解放政策をとり、中国経済を発展させた　oppress …を圧迫する、虐げる　Tiananmen Square protest 天安門事件。北京にある天安門広場で民主主義活動家が人民解放軍により多数殺害・逮捕された事件　People's Communes 人民公社。農村での共同生産活動のため組織されたが、生産力が上がらず廃止

74

1929年〜第二次世界大戦

The Great Depression

The peace settlement ending World War I left many nations **discontent**. A brief period of **prosperity** in Europe and the U.S. followed the war, but it did not last. Two factors came into play.

First came a downturn in the economies of the individual nations in the early 1920s. A financial crisis began when Germany failed to make the reparations it was supposed to pay to France and Great Britain for war damage. **Tensions** rose in Europe and inflation increased. American **investments** in Europe provided a temporary **remedy**. But when prices for **farm products** in America began to fall rapidly in the second half of the 1920s, farmers were hit hard and fell into poverty. Other sectors of the economy followed.

The second trigger was an international crisis involving the U.S. **stock market**. The stock market boomed in the 1920s, supporting loans to Germany to pay reparations. By 1928, **investors** began to pull money out of Germany to speculate in rapidly rising stocks in the U.S. When the market **crashed** in October 1929, it **weakened** all the European markets. The Great Depression had begun.

Industrial production declined and **unemployment** rose. Governments lowered **wages** and raised taxes on **imported goods**, but these **measures worsened** the crisis and had a serious political impact.

Worried about the future, people in many countries turned away from **democratic** ideas and supported authoritarian leaders who promised simple solutions to **complex** problems. Together these economic, political, and social problems were major factors **leading to** World War II. (250)

世界大恐慌

第一次世界大戦を終結させた講和体制は、多くの国家に**不満**を残すこととなった。戦後、ヨーロッパとアメリカには短期間の**経済的繁栄**が訪れたものの、それは長続きすることはなかった。そこには2つの要素が作用していた。

まず起こったのが、1920年代初頭に各国を襲った景気の下降である。英仏両国に与えた損害に対して、定められていた賠償金をドイツが支払い不能になったとき、経済危機が到来した。ヨーロッパでは**緊張**が高まり、インフレが進んだ。アメリカによるヨーロッパへの**投資**は短期的には**救い**となったが、1920年代後半にアメリカで**農作物**価格が急落し始めると、農家は大打撃を受け、貧困にあえいだのである。経済のほかの分野もこれに続いた。

恐慌への第二の引き金になったのが、アメリカの**株式市場**を巻き込んだ国際的な危機である。1920年代に株価は暴騰し、これがドイツが支払う賠償金支払いに充てる借款を下支えしていた。しかし1928年までに**投資家**は、アメリカでの急速な株価上昇を見越して、ドイツから資金の引き上げを始めた。そして1929年10月、アメリカ株式市場の**破綻**は、全ヨーロッパの市場を**弱体化させ**てしまったのだった。大恐慌の始まりである。

工業生産は落ち込み、**失業率**は上昇した。政府は賃下げを断行し、**輸入品**への関税を引き上げたが、こうした**政策**は危機をさらに**悪化させた**だけであり、深刻な政治的な影響をもたらした。

将来に対する不安から多くの国で人々は**民主主義**思想に背を向け、**複雑に絡んだ**問題を簡単に解決すると約束した権威主義的な指導者を支持するようになる。こうした経済、政治、社会的問題は、一体となって第二次世界大戦**に至る**主な要因となったのである。

タイトル Great Depression 1929年、ニューヨーク証券取引所での株価暴落に端を発した大恐慌　1 the peace settlement 第一次世界大戦後の「ヴェルサイユ体制」のこと。英仏両国は敗戦国ドイツに巨額の賠償金を課した　last 続く　come into play 働き始める　2 downturn 停滞、衰退　fail to *do* ～しない、～することができない　reparation 賠償、補償　fall into poverty 貧困に陥る　3 trigger 引き金、要因　boom 急騰する、暴騰する　pull ... out of ～ …を～から引き上げる　speculate in ... …に投機する、…を思惑売買する　5 turn away from ... …から顔を背ける　authoritarian 権威主義的な

75

Central America 1914年

Completion of the Panama Canal

The success of the American Revolution and the ideals of the French Revolution **stimulated** Latin America. Portuguese and Spanish colonies **rebelled** and won their own independence. But independence was easier to achieve than political **stability**. The new nations suffered from social **inequality** and economic **dependence** on foreign nations. In 1823 U.S. President James Monroe declared that Latin America was off-limits to European **interference**. The **intent** of this Monroe Doctrine was clearly to protect U.S. interests in Latin America.

The U.S. itself intervened in Latin America **repeatedly**. In 1898, following the Spanish-American War, the U.S. gained control over Cuba and annexed Puerto Rico. In 1903, President Theodore Roosevelt supported a **rebellion** that resulted in Panama's independence from Colombia. **In exchange**, Panama **granted** the U.S. control of a 10-mile strip of land across the new country. America then built the Panama Canal to connect the Atlantic with the Pacific, completing the feat in 1914.

This **water passage** was **extremely** important for America. It eliminated the need for **freighters** to spend weeks at sea and face the unpredictable weather of Cape Horn at the southern tip of South America. For the U.S. navy, being able to transfer ships rapidly from ocean to ocean made a great difference in American naval **strategy**.

Control of the canal was transferred to Panama in 1999, but the treaty that transferred control also gave the U.S. the right to use military force against any threat to the canal's **neutrality**. (241)

パナマ運河の完成

アメリカ独立革命の成功とフランス革命の理念は、ラテンアメリカの人々**を奮い立たせることとなった**。ポルトガル領やスペイン領の植民地が宗主国に**反乱を起こし**、独立を勝ち取ったのである。ところが、独立獲得よりも困難なのが、政治的な**安定**の達成だった。新しく独立した国家は、社会的な**不平等**と外国への経済的な**依存**に苦しんだ。1823年、アメリカのジェームズ・モンロー大統領は、ラテンアメリカ諸国がヨーロッパ列強の**干渉**を受けることはない、との宣言を発表した。このいわゆる「モンロー教書」の**真意**が、ラテンアメリカでのアメリカの権益の保護を目的としていたのは明らかであった。

実際、アメリカ自身が**繰り返し**ラテンアメリカ諸国に干渉していた。1898年、アメリカ・スペイン（米西）戦争の勝利に続いて、アメリカはキューバを支配下に置くとともに、プエルトリコを併合した。さらに1903年、セオドア・ローズヴェルト大統領はコロンビアからの独立を求めるパナマ人の**反乱**を支援し、その結果、パナマは独立したのだった。**返礼として**、パナマは新しく独立した国家を横切る幅10マイルの細長い土地をアメリカ**に割譲した**。ここでアメリカは、大西洋を太平洋とつなぐパナマ運河の建設にかかり、大事業は1914年に完成したのである。

この**水路**は、アメリカにとって**極めて**重要なものだった。この運河のおかげで、**貨物船**は、数週間の航海の末、南アメリカの南端にあるホーン岬近海の予測困難な天候にさらされることもなくなった。アメリカ海軍にとっても、太平洋と大西洋の間で艦船をすぐに行き来させることが可能になり、海軍の**戦略**に大きな意義を持つことになった。

1999年に運河の管轄権はパナマに委譲された。だが、この運河の譲渡を認めた条約において、アメリカは運河の**中立性**を脅かすいかなる行為に対しても、軍事力を行使する条項を盛り込ませたのであった。

---

1 suffer from ... …に苦しむ　James Monroe ジェームズ・モンロー。第5代米大統領〈在任1817-25〉　off-limits 立ち入り禁止の　Monroe Doctrine モンロー主義。モンロー大統領が1823年議会に発した教書に基づく外交方針。米国はヨーロッパの問題には関与しない一方、ヨーロッパもラテンアメリカ諸国の政治に干渉することを許さないという主義。米国の孤立主義政策を象徴する表現　**2** intervene …に干渉する　Spanish-American War アメリカ・スペイン（米西）戦争。スペインが敗北した結果、キューバは米国の支配下に、フィリピン、プエルトリコ、グアム島は米国に割譲された　annex …を併合する　Theodore Roosevelt セオドア・ローズヴェルト。第26代米大統領〈在任1901-09〉　feat 偉業、大事業　**3** eliminate …を除去する、除く　unpredictable 予測できない　Cape Horn ホーン岬。チリ南部にある南米最南端の岬　transfer …を移動させる、譲渡する、割譲する　make a difference 重要である

Asia 1885～1947年

Indian Independence Movement and the National Congress

In the late 19th century, the Indian bourgeoisie considered British rule to be detrimental to India's economy and society. As early as 1876, the Indian Association in Bengal criticised Viceroy Lord Lytton's highhanded policies. The Indian National Congress first met in Bombay in 1885 and this movement spread throughout the country. The Indian Councils Act of 1892 was a **temporary** remedy which **strengthened** the power of local councils. The policy, however, only increased the clamor of the Indian people for more power. Viceroy Curzon's rule tried to divide Bengal between the Hindu-**inhabited** area and the Islamic area, but the Indians **countered** that the policy would aggravate the **confrontation** between the two groups.

During World War I, the British government authorized self-government in India, but this promise was not fulfilled. The Government of India Act (1919) provided that the Indians could partly participate in local administration, but the central government had been dominated by Britain.

Mahatma Gandhi, the leader of Indian independence, however, **advocated** the "Non-Violent and Non-Cooperation policy" against British rule. His policy was welcomed by many Indians and forged unity among them. The Round Table Meeting between Britain and India in 1930 was unsuccessful because of the diehard **opposition** of Winston Churchill and others. The Indian Act of 1935 proposed a **federation** state of India and would have given great autonomy to the Indians, but the proposal was not **enacted**. After World War II the British government accepted the Indian Independence Act and in 1947 Hindu-dominated India and Islamic Pakistan became independent states. (262)

インド独立運動と国民会議派

19世紀後半に入ると、インドの市民階級はイギリスのインド支配が経済・社会にとって有害であると考えるようになった。早くも1876年には、ベンガル州のインド人連合は、インド総督リットン卿の高圧的な政策を批判していた。インド国民会議派は1885年にボンベイで初めて会合し、その運動は国中に広がっていった。1892年のインド参事会法は、地方議会の権力**を強化する**ことで、**一時的な**事態の改善を図った。しかし、この政策をもってしても、さらに多くの権力を求めるインド人民の要求は強まるばかりだった。カーゾン総督の支配下では、ベンガル州をヒンドゥー教徒**居住**地域とイスラーム教徒居住地域に分割しようとした。だがインド側は、この策が2つのグループの**対立**を助長するばかりだと**反論した**。

第一次世界大戦中に、イギリスはインドに自治を認めていたけれども、この約束は果たされなかった。1919年のインド統治法によってインド人は地方政治には部分的に参加できたが、中央政府はなお英国人によって支配されていたのである。

インド独立運動指導者のマハートマ・ガンディーは、イギリスの支配に対する「非暴力、非協力政策」**を主唱していた**。彼の政策は多くのインド人に歓迎され、インド人の団結は強まった。そして1930年の英印円卓会議も、ウィンストン・チャーチルらイギリス側強硬派の**反対**によって失敗に終わった。1935年のインド統治法は、インドを**連邦**国家とすることを規定していたが、さらに広汎な自治権がインド人に与えられるとの提案は、法律として**制定され**なかった。第二次世界大戦後、イギリス政府はインド独立法を承認し、1947年にヒンドゥー教徒勢力が支配するインドと、イスラーム教徒支配のパキスタンが別々に独立を果たすこととなった。

---

1 detrimental to ... …に有害な　viceroy 総督、副王　Lord (Edward) Lytton (エドワード・)リットン卿。インド総督〈在任1876-80〉　highhanded 高圧的な、横暴な　Indian National Congress インド国民会議派。1885年結成、インド人の自治権を主張し、独立後はインド最大の政党国民会議派(Congress Party)となった　remedy 救済策、収拾策　clamour 抗議の声、騒ぎ　(George) Curzon (ジョージ・)カーゾン。インド総督　aggravate …を悪化させる　**2** authorize 認める、許可する　**3** Mahatma Gandhi マハートマ・ガンディー〈1869-1948〉。インドの宗教的・政治的指導者でインド独立に貢献。独立後狂信的ヒンドゥー教徒に射殺された　forge (親交など)を結ぶ　Round Table Meeting 英印円卓会議。インド統治法制定をめぐって英インドの間で開催された会議　diehard 強硬な、頑強に抵抗する　autonomy 自治(権)

77

Asia 1880年代

The Scramble for Africa

The Industrial Revolution spread throughout Europe by the late 1800s. The industrialized nations became rivals seeking **raw materials** for factories at home and new markets in Africa to sell their goods. The nations of Europe saw the creation of colonies in Africa as a way to assert themselves as world **powers**.

Delegates from these countries gathered at **talks** called the Berlin Conference (1884-85), sponsored by German chancellor Otto von Bismarck. The purpose of this gathering was to seek an **orderly** "carving up" of the African continent. Each nation wanted to **negotiate** to secure a **claim** to the rich resources of the continent. The delegates argued over **geographic** boundaries for their colonies, but they were able to avoid direct military **conflict**. By 1914, the beginning of the First World War, the Europeans had completely redrawn the map of Africa.

The **impact** of the "Scramble for Africa" was devastating to the people of Africa. Not a single African attended the Berlin Conference. Those who attended had very little knowledge about the regions and people they were dividing. The borders drawn in Berlin paid no attention to the religious groups, languages spoken, or **ethnic** origins of the new colonies. Some borders placed long-time enemies in the same colony. Others divided ancient kingdoms into pieces. Most borders were **straight lines** that ignored natural river courses. As a result, a river might flow in and out of different colonies, while a line on a map might divide a village into several pieces. The impact of this map-drawing, in far-away Berlin, continues to affect African countries and its peoples even today. (265)

アフリカ分割

1800年代後半には、産業革命は広くヨーロッパに広がっていた。工業化した国は、国内の工場のための**原料**や、商品を売る新しい市場をアフリカに求めて、互いに競争していた。ヨーロッパ諸国は、自らが世界の**列強**であることを主張する方法として、アフリカに植民地を作っていった。

こうした国々の代表は、ベルリン会議（1884～85）という**会談**に集合した。主催者はドイツの宰相オットー・フォン・ビスマルクだった。この会談の目的は、アフリカ大陸の**秩序ある**「切り分け」であった。各国は、アフリカの豊かな資源への**請求権**を獲得するために**交渉し**ようとしていた。 代表団は自分たちの植民地の**地理的な**境界線について議論を交わし、ともかく直接的な軍事**衝突**を回避することができた。第一次世界大戦が始まる1914年までに、アフリカの地図は、ヨーロッパによって完全なまでに引き直されてしまったのである。

列強による「アフリカ分割」の**影響**は、アフリカ人民にとっては極めて大きかった。ベルリン会議には、アフリカ人は一人として出席していないのである。出席者は、自分たちが分割しようとしている地域や人々について、わずかな知識しか持ち合わせていなかった。ベルリンで引かれた国境線は、新しく誕生する植民地の宗教上のグループ、言語、**民族的な**ルーツなどにはまったく配慮していなかった。国境線の中には、一つの植民地の中に長年の敵同士を入れてしまったものや、古代から続く王国をバラバラに分割したものもあった。そして国境線のほとんどは、自然な川の流れを無視した**直線**だった。その結果、1本の川が異なる植民地間を出たり入ったりして、地図上の国境線が一つの村をいくつかに分割してしまうこともあった。はるか彼方のベルリンで作られたこの地図は、今日においてもなお、アフリカ諸国とその人民に影響を与え続けているのである。

タイトル scramble 取り合い、争奪戦　**1** industrialized 工業化した　assert *oneself* 自分の権利を主張する、我を張る　**2** delegate 代表者、代理人　Otto von Bismarck オットー・フォン・ビスマルク。ドイツの政治家。ドイツ統一を実現したドイツ帝国宰相〈在任1871-90〉　carving up 切り分けること、分割　redraw もう一度線を引く　**3** devastating 痛烈な、破壊的な、圧倒的な　pay no attention to ... …に一切注意を払わない　divide ... into pieces …をバラバラにする　far-away はるか遠くの　affect …に影響を及ぼす

78

Africa　1950年代～70年代

African Independence Movements

After World War II, European nations recognized that colonial rule in Africa would come to an end. The United Nations in its **charter** declared that all colonial people should have the right to self-determination and from the late 1950s through the 1960s most former colonies became independent.

The earliest colony in Sub-Saharan Africa to gain independence was Gold Coast, named for the main **resource extracted** from it. In 1957, it became Ghana. Colonies throughout west and east Africa gained independence in the early 1960s. Many adopted some Western model of democratic government. When it came to economic systems, some **leaned toward** socialism or communism; others leaned toward traditional community **ownership** of wealth. Still others believed in Pan-Africanism, in which all black Africans would share a common identity.

One common problem the new nations faced was **instability** caused by **ethnic conflict**. Colonial **powers** had drawn arbitrary borders between colonies that ignored geographic features and ethnic groups, some of which embraced long-standing mutual **hatred**.

Bound together in new independent nations, these ethnic groups battled one another for control over the government, often yielding enormous numbers of **casualties**. In Rwanda, ethnic fighting **broke out** between the Hutu majority and the elite Tutsi minority in 1994, resulting in a genocide that killed at least a half million Tutsis and in mass **emigration** to neighboring countries.

Some countries prospered from the export of one or more natural resources like oil, rubber, and diamonds. Many, however, became dependent on foreign **investments**, or ruled by oligarchs who used government funds for **lavish** lifestyles. (255)

アフリカにおける独立運動

Audio 78

第二次世界大戦後、ヨーロッパ諸国は自らのアフリカ植民地支配が終わりを迎えるだろうことを自覚していた。国際連合はその**憲章**の中で、すべての植民地の人々は、自己決定（民族自決）の権利を有するべきであると謳っており、1950年代後半から1960年代にかけて、元植民地のほとんどが独立したのである。

サハラ砂漠以南のアフリカで最も早く独立を勝ち取った植民地は、**産出される資源**にちなんで名づけられたゴールドコースト（黄金海岸）である。ここは1957年にガーナと改名し、独立した。アフリカ西岸、東岸の植民地は1960年代初めには独立を達成した。そのうちの多くの国家が西洋民主主義政権を範に取っている。経済制度については、社会主義や共産主義**寄りの**国もあるが、伝統的な富の共同**所有形態**を守っている国もある。さらにアフリカ諸国の中には、なお汎アフリカ主義を取り、すべてのアフリカ黒人は共通のアイデンティティーを持っていると信じる者も存在した。

アフリカ新興国家が直面した共通の問題の一つが、**部族紛争**からくる**社会的不安定**だろう。植民地を支配していた**列強**は、地理的な特徴や部族間の感情を無視して、勝手に植民地間に国境線を引いていた。その中には、長年**憎しみ**合ってきた部族もいた。

新興独立国家の中に一くくりにされてしまった各部族は、政権の掌握を目指して部族間で戦いを繰り広げ、膨大な**犠牲者**を出すこともしばしばだった。たとえば1994年、ルワンダでは多数派のフツ族と、少数派の権力集団ツチ族との間で部族紛争が**起こった**。その結果、少なくとも50万人ものツチ族が殺害されるという集団殺りくが起こり、近隣諸国に**流民**が大量に流れ込んだ。

アフリカ諸国の中には石油、天然ゴム、ダイヤモンドなどの天然資源の輸出によって経済的に繁栄している国もある。しかし、多くは外国からの**投資**に依存しているか、**贅沢な**生活を送るために政府資金を用いるような少数の人々に支配されているのである。

---

1 come to an end 終わる　2 Gold Coast ゴールドコースト(黄金海岸)。西アフリカのギニア湾北岸の元英国領。西は象牙海岸(Ivory Coast)、東は奴隷海岸(Slave Coast)に挟まれている　name ... for ～ ～にちなんで…と名づける　adopt …を導入する　when it comes to ... …について言うと　Pan-Africanism 汎アフリカ主義　3 arbitrary 任意の、恣意的な　embrace …を抱く、奉じる　4 yield …をもたらす、生じる　Rwanda ルワンダ。アフリカ中東部の共和国で元ベルギー領、1962年独立　the Hutu フツ族　the Tutsi ツチ族　genocide ジェノサイド、(人種・国民などの)大虐殺　5 oligarch 寡頭制。少数者による専制的な支配

79

Asia 1950〜53年

The Korean War

Until the end of World War II, Japan controlled the Korean **peninsula**. In August 1945, the United States and the Soviet Union, members of the Allied Powers, **reached an agreement** to divide Korea into two parts separated by the 38th parallel. Their original plan was to occupy the peninsula **temporarily**, hold elections, and then **reunify** Korea.

However, relations between the Soviets and the Americans **rapidly worsened** around the world. In Korea, the two nations began to support different forms of government in the parts they controlled. North Korea developed a communist government, while South Korea developed an **anti-communist** government. Then **with the approval of** the Soviet Union, on June 25, 1950, North Korean troops **invaded** South Korea. That October, U.S. troops, with U.N. support, pushed the North Korean troops back across the 38th parallel. This ostensibly U.N. combined force aimed at unifying Korea.

When it pushed north almost as far as the Yalu River, the border of communist China, the Chinese became **alarmed**. They sent thousands of troops into the peninsula to fight on behalf of North Korea, **pressing** the U.N. troops **back** across the line dividing the two parts of the country.

Fighting continued for three years, with neither side gaining an advantage. The result was an armistice, not a **peace treaty**. North and South Korea were divided by a demilitarized zone, the DMZ, which became a heavily fortified border. It became a reminder of the **constant tensions** between the two countries that developed completely different political and economic societies. (251)

朝鮮戦争

第二次世界大戦終結まで、日本が朝鮮**半島**を支配していた。だが1945年8月、連合国のメンバーであるアメリカとソヴィエトは、北緯38度線を境に朝鮮を南北で分割する**協定を結んだ**。当初の計画は、朝鮮半島を**暫定的に**占領し、選挙を行った上で朝鮮を**再統一させる**というものであった。

ところが、世界中で米ソの関係は**急速に悪化してしまった**。朝鮮半島では、米ソ両国は自国が管理している地域で、それぞれ異なる政治体制を支持するようになっていた。北朝鮮では共産党政権が伸長し、韓国では**反共**政権が発展した。その後1950年6月25日、ソ連**の承認の下**、北朝鮮軍は韓国**に侵攻した**。これに対して同年10月、アメリカ軍は国際連合の支持を受けて、北朝鮮を38度線以北に押し戻した。この見かけ上の国連軍は、朝鮮の統一を目標としていた。

国連軍が共産国家である中国との国境沿い、鴨緑江付近まで北上したとき、中国側が**警戒感を強めた**。中国は北朝鮮側に立って戦うため、数千人の軍を朝鮮半島に派兵し、南北朝鮮の分割線まで国連軍**を押し返した**のである。

この後、戦争はさらに3年続いたが、どちらも優勢に立つことはなかった。その結末は**平和条約**ではなく、休戦に過ぎなかった。南北朝鮮は非武装地帯で分断され、この地域は強固に要塞化された国境となった。この非武装地帯は、政治的・経済的にまったく異なる社会に発展した両国間に**常に存在する緊張**を思い出させるものとなっている。

---

1 Allied Powers (第二次大戦の)連合国　divide ... into ～ …を～に分割する　parallel 緯線、緯度　**2** ostensibly 見かけ上、表向きは　aim at ... …を目指す　**3** Yalu River 鴨緑江。北朝鮮と中国の国境となっている川　on behalf of ... …の代わりに　U.N. troops 国際連合軍、国連軍。国連安全保障理事会の決議で組織される。朝鮮戦争時の国連軍は、実質的には韓国支援軍だった。当時、ソ連は安保理を欠席し、アメリカが主導した　**4** gain an advantage 優位に立つ　armistice 休戦、停戦　demilitarized zone, the DMZ 非武装地帯　fortified 要塞化された、防備を固めた　reminder (何かを)思い出させるもの

80

Asia 1954~75年

The Vietnam War

In the 1880s, European **imperialism evolved** from simply setting up trading posts in Asia to actually controlling territories. France made the Vietnamese empire a French protectorate and part of what was called French Indochina. French colonial policies benefited French and Vietnamese **landowners**, but ordinary Vietnamese were shut out of economic benefits and **denied participation** in the government.

Nationalist leaders under Ho Chi Minh led a **communist-based** movement that won independence from the French after a major victory at Dien Bien Phu in 1954. In the peace treaty they signed, Vietnam and France agreed to a **temporary** partition of Vietnam, on the condition that in 1956 national elections would determine the government. During that **interval**, the United States, seeking to contain communism around the world, began efforts to **strengthen** the **anti-communist** government of South Vietnam.

Initially, American support for South Vietnam consisted of supplying **equipment** and training to local troops, but in 1964 with the Gulf of Tonkin Resolution, U.S. President Johnson **expanded** American **involvement**. U.S. **bombing missions in North Vietnam** began the following year and increasingly larger numbers of U.S. troops were sent to fight against North Vietnamese troops.

Neither North nor South could gain a **decisive** victory. Meanwhile the Vietnam War created a **rift** in American society; fewer Americans **were willing to** continue supporting the war. In 1973 Richard Nixon **reached an agreement** to withdraw U.S. troops, and within two years, communist armies forcibly reunited Vietnam. Saigon, the former capital of South Vietnam, was **renamed** Ho Chi Minh City in 1976. (252)

ベトナム戦争

1880年代に入るとヨーロッパの**帝国主義**は、単に貿易上の拠点をアジアに設けることから、実際に領土を支配する段階へと**発展し**ていった。フランスは阮朝ベトナムを自身の保護領とし、フランス領インドシナ（仏印）と呼ばれる地域の一部としてしまった。フランスの植民政策は、フランスとベトナム人**地主**のいずれにも利益を与えるものだったが、一般のベトナム人は経済的な利益からはじき出され、政治**参加も認められなか**った。

ホー・チ・ミン率いるベトナム民族主義者は、**共産党主体**の解放運動を指導し、1954年にディエンビエンフーの戦いで大勝を収めたことで、フランスからの独立を勝ち取った。和平条約締結にあたり、フランスとベトナム両国は、1956年の国政選挙でベトナムの政権を決定することを条件に、**一時的に**ベトナムを南北に分割することで合意した。ところが総選挙までの**合間**に、世界中で共産主義の封じ込めを進めていたアメリカが、南ベトナムの**反共**政権の**強化**に乗り出したのである。

当初、アメリカの南ベトナム支援は、地方軍閥に対する**兵備**の供給や兵士の訓練にとどまっていた。しかし1964年、アメリカ連邦議会はトンキン湾決議を採択し、ジョンソン大統領はアメリカの**介入を増していった**。翌年からアメリカ軍の**北爆**が始まり、北ベトナム軍と戦う米兵の数は増加する一方だった。

南北ベトナムいずれも**決定的な**勝利を収めることができずにいる一方、ベトナム戦争はアメリカ社会に**亀裂**をもたらしていた。戦争の継続**を求める**アメリカ人は減少していった。1973年、リチャード・ニクソン大統領は米軍を撤退させることに**同意し**、それから2年のうちに、共産軍は力ずくで南北ベトナムを再統一した。そして1976年、かつて南ベトナムの首都であったサイゴン市は、ホー・チ・ミン市**と改名された**のである。

---

1 protectorate 保護領。1883年に阮朝ベトナムはフランスの保護領となった　French Indochina フランス領インドシナ。現在のベトナム、カンボジア、ラオスを含み、1887年成立　benefit …に利益を与える　be shut out of ... …から締め出される　**2** Ho Chi Minh ホー・チ・ミン。ベトナム民主共和国（北ベトナム）大統領〈在任1945-1969〉　Dien Bien Phu ディエンビエンフー。この地のフランス軍要塞が陥落し、ベトナムの独立が決定的になった　the peace treaty 1954年のジュネーブ和平協定を指す。ベトナムを含むインドシナ3国の独立が決定した　partition 分割、分離　on the condition that ... …という条件で　contain …を封じ込める　**3** Gulf of Tonkin Resolution トンキン湾決議。米軍に対する攻撃撃退のために必要なあらゆる手段を取れる権限が大統領に与えられた　(Lyndon) Johnson （リンドン・）ジョンソン。第36代米大統領〈在任1963-69〉　**4** Richard Nixon リチャード・ニクソン。第37代米大統領〈在任1969-74〉　withdraw …を撤退させる　forcibly 力ずくで、強制的に

81

North America 1500年代～1968年

North American Arctic

While the Portuguese and Spanish developed long trade routes to Asia, the English sought a shorter route by a hoped-for "Northwest Passage." English **navigator** Martin Frobisher in 1576 led a **mission** to Canada's northeast coast, searching for a navigable route to the **Pacific Ocean**. Frobisher and subsequent explorers failed, but they did begin explorations of eastern Canada.

By the mid-17th century, Russia's movement into Siberia allowed it to become the first European state to establish itself on the Pacific Ocean. In 1741 the Danish navigator Vitus Bering, working for Russia, began explorations of Alaska, initiating **competition** in the North Pacific between the British, Americans, and Russians.

The Russians did not build large settlements in Alaska, but merely hunted and traded for **seal** and **sea otter** furs along the coast. Alaska was simply too far from Siberia for the Russians to occupy and defend. As American settlers began moving up the Pacific Coast, the Russians began considering selling the territory to add to the Russian treasury before it was taken over by the Americans without **gain**. In 1867 the Americans paid $7 million to the Russians and took over Alaska.

The discovery of the Prudhoe Bay oil field on Alaska's North Slope in 1968 made Alaska economically and **strategically** important in international relations. More recently, the importance of Alaska and Canada have increased due to the warming of waters above the Arctic Circle. Where the **Arctic Ocean** was once frozen and impassable during the winter months, the ice is melting, making it the focus of trading and naval powers throughout the world. (261)

北アメリカ北極海地域

ポルトガル人とスペイン人がアジアへと続く長い貿易ルートを切り開いていたとき、イギリス人は久しく待望していた「北西航路」によるアジアへの近道を探し求めていた。1576年、イングランドの**航海家**マーティン・フロビッシャーは、**太平洋**へ航海可能な航路を探すことで、カナダ北東海岸への道という**目的**の先頭に立っていた。フロビッシャーやその後の探検家は失敗したものの、カナダ東部への探検を始めたのは彼らだった。

一方、17世紀半ばまでに、ロシア人のシベリアへの人口移動によって、ロシアは太平洋岸地域に定着した初のヨーロッパ国家となった。1741年、デンマークの航海家ヴィトゥス・ベーリングはロシアから仕事を請け負い、アラスカ探検を開始した。ベーリングは北太平洋で、イギリス、アメリカ、ロシア間の探検**競争**のさきがけとなった。

ロシア人はアラスカの地に大規模な植民地を築くことなく、**アザラシ**や**ラッコ**を獲って、沿岸でその毛皮を交易する程度だった。ロシア人にとってもアラスカは、占領し防衛するには、単純にあまりに遠かった。アメリカ入植者が太平洋岸まで移動し始めたころ、ロシアは**利益**も出ずにアラスカをアメリカに奪われてしまう前に、国庫を潤すためこの地を売却することを考えるようになった。1867年、アメリカはロシアに700万ドルを支払い、アラスカを譲り受けた。

1968年、アラスカ・ノーススロープにあるプルドー湾油田が発見されたことで、アラスカは経済的にも、国際関係の**戦略上**でも重要になった。さらに近年、**北極海**地域の海水温の上昇にともない、アラスカとカナダの重要性は増している。北極海はかつて冬期の数カ月間は氷結し航行不可能だったが、氷が融け始めると、世界中で貿易や海軍力の面で注目の的となったのである。

---

1 hoped-for 期待された、待望の　Martin Frobisher マーティン・フロビッシャー〈1535?-94〉。イングランドの航海家。北回りでインドに至る航路を求め失敗したが、カナダのラブラドル半島を探検した　navigable 航行可能な　subsequent あとに続く　**2** allow ... to *do* …が～することを許す　establish *oneself* 確立する、定住する　Vitus Bering ヴィトゥス・ベーリング〈1681-1741〉。デンマークの航海家。ロシアのピョートル大帝の命で北太平洋を探検。ベーリング海峡を発見して、ユーラシアとアメリカが別々の大陸であることを実証した　**3** treasury 財務省、国庫　take over ... …を奪う、譲り受ける、引き継ぐ　**4** Prudhoe Bay oil field プルドー湾油田。アラスカ北部にあるアメリカ最大級の油田　North Slope ノーススロープ。アラスカ北部の油田地区　Arctic Circle 北極圏　impassable 航行不可能な

82

1900年代～10年代

South Pole Explorations

Three great adventurers of the early 20th century aimed to reach the South Pole. Ernest Shackleton served on the **vessel** that carried Robert Scott to Antarctica in 1901. Scott chose him for an attempt to reach the South Pole by **sled**. They failed, but Shackleton returned six years later with his own expedition. One party reached the magnetic South Pole. On a later expedition in 1909, Shackleton's party came within roughly 97 nautical miles (about 180 km) of the **geographic** South Pole—further south than anyone else had reached.

Shortly thereafter, Robert Scott and the Norwegian Roald Amundsen began one of the greatest races of discovery in history: reaching the South Pole first.

Amundsen had learned how to survive in **extreme cold** and to travel by dog sled. Setting out for the South Pole in 1911, despite **severe weather**, his group reached the pole on December 14. Amundsen left a tent with a note for Scott to confirm that he had been there. He later returned safely to Norway.

A month later, Scott's party arrived. Their return journey was hampered by injury, a depleted food supply, and severe weather. Scott kept writing in his journal until they all froze to death.

Shackleton set out as head of a Trans-Antarctic expedition in 1914 to **cross** Antarctica **via** the South Pole. The ship, **ironically** called *Endurance*, was caught in ice for 10 months and ultimately crushed. All of the men were forced to camp on ice for another five months before reaching the edge of the **ice floe**. Eventually, everyone was rescued. (259)

南極探検

3 人の偉大な冒険家が 20 世紀初めに南極点到達を目指した。1901 年、アーネスト・シャクルトンはロバート・スコットを南極大陸まで導いた**船**の一員だった。スコットは**そり**で南極点に到達するため、シャクルトンを選んだのだ。彼らの計画は失敗に終わったが、シャクルトンは自分自身の探検計画を立て、6 年後に南極に戻ってきた。彼の部隊の一つは磁南極に達したのだった。さらに 1909 年の遠征で、シャクルトン隊はこれまで誰も到達し得なかった南の果て、**地理上の**南極点まで 100 カイリ（180km）以内の地点に近づいたのである。

それから間もなく、ロバート・スコットとノルウェー人のロアルド・アムンセンは史上最大規模の探検、どちらが先に南極点に到達するかの競争を始めた。

アムンセンは**極寒**の地で生き延びる術（すべ）を熟知しており、また犬ぞりによる旅行にも心得があった。**悪天候**にもかかわらず、アムンセンは 1911 年、南極点に向け出発し、彼の隊は 12 月 14 日に極点に達した。彼はテントとともに、自分がそこに到達したことを知らせるスコット宛ての短い手紙を残していった。のちにアムンセンは無事、ノルウェーに帰還したのだった。

その 1 カ月後、スコット隊が極点に到着した。彼の帰り道は、けが、食料不足、厳寒に遮られる。スコットは隊の全員が凍死するまで、探検日誌をつけ続けた。

一方、シャクルトンは 1914 年、南極点**を経由して**南極大陸**を横断する**探検隊の隊長として出航した。乗船した船の名は**皮肉なことに**「忍耐号」と名づけられていたが、10 カ月の間氷に閉じ込められ、結局船は破壊されてしまった。隊の全員は**浮氷**の先端にたどり着くまでさらに 5 カ月間、氷上にキャンプを張る羽目になったものの、最終的には全員が救助されたのであった。

---

1 aim to *do* ～することを試みる　Ernest Shackleton アーネスト・シャクルトン〈1874-1922〉。アイルランド生まれの英国人南極探検家　serve on ... …の一員として働く　Robert Scott ロバート・スコット〈1868-1912〉。英国の海軍軍人で南極探検家。南極点に到達したが帰路死亡　Antarctica 南極大陸　expedition 遠征、探検　South Pole 南極　nautical mile カイリ。1カイリ＝1852m　**2** Roald Amundsen ロアルド・アムンセン〈1872-1928〉。ノルウェーの探検家　**3** set out for ... …に向けて出発する　despite ... …にもかかわらず　**4** hamper …を妨害する、邪魔する　deplete …を消耗させる、減少させる　freeze to death 凍死する。frozeはfeezeの過去形　**5** endurance 忍耐、辛抱

83

1939〜45年

The Second World War

The Second World War was a **conflict** between the "haves" and "have-nots." The U.S. enjoyed an abundance of natural resources, and was the most industrialized country in the world. Britain and France could deploy the resources of their numerous colonies. On the other hand, in addition to losing all of her colonies after the First World War, Germany was forced by Britain and France to pay heavy reparations for the damage that it had caused. Germany was not only defeated but was saddled with **burdens** that kept it impoverished.

Italy was also dissatisfied with the failure of her own territorial **ambitions** at the Paris Peace Conference. Japan as well was infuriated with the decision of the League of Nations that denied its right to govern the Manchu Empire, Japan's **puppet state**. These three nations—Germany, Italy, and Japan—**adopted** an **autocratic** ideology of Fascism, and joined together to form the Axis Powers. **Opposing** them were the Allied Powers, consisting of Britain, France, the Soviet Union, China, and **eventually** the U.S.

The war **came to an end** in 1945, with the unconditional surrender of the Axis Powers. Following the war, the Allied Powers organized the United Nations to settle **disputes** among nations. World War II **drastically** changed the world map. **Inspired** by nationalism, most of the colonies asserted their independence. Jordan, the Philippines and Syria (1946), India and Pakistan (1947), Burma and Israel (1948) successively gained independence. (237)

第二次世界大戦

第二次世界大戦とは、「持てる者」と「持たざる者」の間の**闘争**であった。アメリカ合衆国は豊かな天然資源に恵まれており、世界で最も工業化の進んだ国だった。イギリスとフランスは、数多くの植民地の資源を利用することができた。一方、ドイツは第一次世界大戦後、それ以前に保有していたすべての植民地を失った上、大戦中に自身が引き起こした損害に対する賠償金をイギリスとフランスに支払わなければならなかった。つまりドイツは戦争に敗れただけでなく、自国を疲弊したままにしておく**負担**を背負わされたのだった。

イタリアはどうかといえば、これもまた、パリ講和会議で領土的**野心**を満たせなかったことに不満を抱いていた。さらに日本もまた、実質的に日本の**傀儡**(かいらい)**国家**だった満州国を支配する権利を、国際連盟が認めなかったことに激しく憤っていた。かくして日独伊3国は、ファシズムという名の**独裁的な**イデオロギー**を取り入れ**、ともに「枢軸国」を形成していったのである。これに**反対した**国家が、イギリス、フランス、ソヴィエト連邦、中華民国からなる「連合国」であり、**のちに**アメリカも加わった。

大戦は1945年に、枢軸国の無条件降伏によって**終結した**。戦後間もなく、連合国は、国家間の**紛争**解決を目的として、国際連合を組織した。第二次世界大戦は、**劇的なまでに**世界地図を変えることになった。ナショナリズムのうねりに**刺激を受け**、ほとんどの植民地が独立を主張したのである。そして1946年にはヨルダン、フィリピン、シリアが、1947年にはインド、パキスタンが、1948年にはビルマ、イスラエルが次々と独立したのであった。

---

1 abundance 豊富さ　industrialized 工業化した　deploy …を利用する、活用する　in addition to ... …に加えて　reparation 賠償(金)　be saddled with ... (責任など)を負う　impoverished 貧乏な、窮乏した　**2** be dissatisfied with ... …を不満に思う　Paris Peace Conference パリ講和会議。1919年、大戦後の体制を議論するためパリで行われた会議。英米仏が主導した　be infuriated with ... …に激怒する　League of Nations 国際連盟　Manchu Empire 満州国。167ページ参照　Axis Powers (第二次世界大戦時の)日独伊「枢軸国」　Allied Powers 連合国。英、米、仏、ソ連、中国など　**3** unconditional surrender 無条件降伏　assert …を主張する　successively 連続して

84

Middle East 1948年

Establishment of Israel and Conflict with Palestinians

Ancient Israel was formed sometime between 1200 B.C. and 1000 B.C. Under King David, the Israelites, believers in **Judaism**, established control over the land and made Jerusalem their capital. The kingdom was **repeatedly** conquered by stronger neighboring states leading to a diaspora of Israelites. By the 20th century they were scattered throughout the world.

Suffering **discrimination** almost everywhere, Jewish **migrants** began to call for **mass immigration** to a land they could call their own. This Zionist movement called for the **establishment** of the Jewish state of Israel. The movement received support from the British who hoped for Jewish support for the Allies in World War I. In 1917, a simple letter, called the Balfour Declaration, supported the Zionist desire for a homeland in Palestine, a region whose population was roughly 80 percent Muslim Arabs and 20 percent Jews.

During World War II, the Nazis attempted to exterminate the Jewish people. Following the defeat of Germany and the discovery of the Nazi death camps, **sympathy** for the Jewish cause increased. In 1947, a United Nations **resolution** proposed that Palestine be divided into a Jewish state and an Arab state. The Jews proclaimed the establishment of the State of Israel in 1948.

As a result, hundreds of thousands of Palestinians fled to neighboring Arab countries, where they were forced to remain in **refugee camps**. Other Palestinians remained as residents of Israel. The creation of a Palestinian state has remained a contentious issue in the Middle East to the present day. (248)

イスラエル建国とパレスチナ人との紛争

古代イスラエル国家は、およそ紀元前1200年から前1000年頃に成立した。ダヴィデ王の支配の下で、イスラエル人は**ユダヤ教**を信仰し、イェルサレムを首都としていた。だがこの王国は、イスラエル国をはるかに上回る力を持つ近隣の強国の侵略を**頻繁に**受けたため、ついにはディアスポラ、「民族の離散」を招いたのである。そして20世紀に至るまで、ユダヤ人は世界中に散らばったままの状態だった。

ユダヤ人**流民**は、どこにいても、ほとんどの場所で**差別**に苦しめられており、自ら祖国と呼べる場所への**大規模な移民**を求め始めていた。イスラエルと命名されたユダヤ人国家の**建国**を求めたのが、「シオニズム運動」である。この運動は、第一次世界大戦でユダヤ人の三国協商側への支持を期待したイギリス人の支援を受けた。1917年のバルフォア宣言と呼ばれる短い書簡は、パレスチナの地に母国を求めるシオニストの熱い期待に応えるものだった。当時この地の人口は、イスラーム教徒のアラブ人が約80%、ユダヤ人は20%を占めていた。

第二次世界大戦中、ナチス・ドイツはユダヤ人を絶滅させようとした。しかしドイツの敗北に続き、ナチスの強制収容所の存在が明らかになると、ユダヤ主義に対する**共感**が増していった。1947年、国際連合は、パレスチナをユダヤ人国家とアラブ人国家とに分割するという案の**決議**を行った。1948年、ユダヤ人はイスラエルの建国を宣言した。

その結果、数十万人規模のパレスチナ人が近隣のアラブ諸国に逃避し、**難民キャンプ**での生活を強いられることになった。パレスチナ人の中には、イスラエル国内に残った者もある。かくして、パレスチナ人国家の建設は、今日に至るまで、中東で激しい議論を引き起こす問題となっているのである。

---

1 King David ダヴィデ王〈前962年没〉。古代イスラエル第2代の王、首都をイェルサレムに置いた　Israelite 古代イスラエル王国〈前922-前721〉の民。現代イスラエル人はIsraeliという　diaspora ディアスポラ。イスラエルの民がパレスチナから離散し、バビロンで捕囚〈前597-前538〉となったこと　**2** call for ... …を求める　Zionist イェルサレムにある聖なる山シオン(Zion)にちなみ、ユダヤ人によるイスラエル国の復活を求める思想(Zionism)の支持者を指す　Allies 同盟国。ここでは第一次世界大戦で英仏など協商側に立って、ドイツを敵として戦った国　Balfour Declaration バルフォア宣言。パレスチナでユダヤ人国家建設を支持した英外首相バルフォアの宣言　Palestine パレスチナ。ヨルダン川以西を中心とする地域で、ユダヤ、キリスト、イスラーム各教の聖地　**3** exterminate …を絶滅させる　death camp (ナチスの)強制収容所　proclaim …を宣言する　**4** contentious 争いの多い、係争中の

85

Europe/North America 1945〜80年代

The Cold War

Although the Allied Powers achieved total victory in World War II, the war was followed by a period of political **tension**. An **ideological** conflict between the United States and the Soviet Union—former allies—dominated world **affairs** until the end of the 1980s.

The Soviet Union, led by Stalin, was **suspicious of** its allies in the West. Stalin wanted a buffer zone of **pro**-Soviet governments along the Soviet Union's border with Europe to protect against **potential** Western **aggression**. The Western powers, led by U.S. President Roosevelt—and later Truman—favored self-determination for the European countries. This involved creating democratic governments through free elections. The lack of agreement **regarding** East Europe led to a bitter division of the European continent. Former British Prime Minister Winston Churchill called it "an **iron curtain**."

The Soviet army stayed in conquered areas and Poland, East Germany, Czechoslovakia, Hungary, Romania, and Bulgaria **came under** communist **control**. The Western powers formed a military alliance called the North Atlantic Treaty Organization (NATO). The Soviet Union joined with countries under its **influence** to form the Warsaw Pact. In 1961 the division between the two camps took a **concrete** form: the massive **Berlin Wall**, a symbol of the division between the two **superpowers**, the U.S. and the U.S.S.R.

Periods of **détente** alternated with periods of tension until the Berlin Wall was broken down 28 years later. East and West Germany were reunited under one government. With the weakening of Soviet influence, **nationalist** movements arose in East Europe, calling for independence. By 1991 the Soviet Union ceased to exist. **One by one** the Soviet republics declared independence. (266)

冷戦

第二次世界大戦で連合国は完全な勝利を収めはしたものの、戦後もなお政治的な**緊張**が続くこととなった。かつては同盟国であったアメリカ合衆国とソヴィエト連邦の**イデオロギー的な**対立が、1980年代末までの世界**情勢**を支配したのである。

スターリン率いるソ連は、西側の同盟国**を疑いの目で見ていた**。そこでスターリンは、**将来予想される**西側からの**侵攻**に対して自国を防衛するため、ヨーロッパ諸国とソ連の間の国境線に沿って、**親**ソ連政権という緩衝地帯を設けることを望んだ。西側諸国は、アメリカのローズヴェルト大統領、のちにはトルーマン大統領の指導の下、ヨーロッパ諸国はそれぞれの将来を自己決定（民族自決）に任せるのが望ましいと考えていた。この決定には、自由な選挙に基づく民主主義政権の樹立が含まれていた。しかし、東ヨーロッパ**についての**東西間の合意がなかったため、ヨーロッパ大陸は激しい対立へと進んでいった。これをウィンストン・チャーチル元英国首相は「**鉄のカーテン**」と呼んだ。

ソ連軍は制圧した地域にとどまり、ポーランド、東ドイツ、チェコスロヴァキア、ハンガリー、ルーマニア、ブルガリアが共産主義**支配下に置かれた**。これに対し、西側諸国は、「北大西洋条約機構（NATO）」と呼ばれる軍事同盟を結成した。ソ連は、自らが**影響**を及ぼす国々と手を組み、ワルシャワ条約機構を設けた。そして1961年、東西両陣営の対立は**具体的な**形を取ることとなる。すなわち、巨大な**ベルリンの壁**であり、それは米ソ両**超大国**の対決の象徴となった。

それから28年後にベルリンの壁が崩壊するまで、緊張と**緩和（デタント）**の時期が代わる代わる続いた。東西ドイツは一つの政府の下に再統一された。ソ連の影響力の弱体化にともない、東ヨーロッパでは**民族主義的な**動きが強まり、独立を求めるようになった。1991年までにソ連邦は崩壊し、ソ連邦内の共和国は**次々と**独立を宣言したのである。

---

2 (Joseph) Stalin（ヨシフ・）スターリン。ソ連の独裁的な政治家、共産党書記長〈在任1922-53〉 buffer zone 緩衝地帯。緩衝国(buffer states) (Franklin) Roosevelt（フランクリン・）ローズヴェルト。第32代米大統領〈在任1933-45〉 (Harry S.) Truman（ハリー・S・）トルーマン。第33代米大統領〈在任1945-53〉 Winston Churchill ウィンストン・チャーチル。英国首相〈在任1940-45, 51-55〉 **3** North Atlantic Treaty Organization (NATO) 北大西洋条約機構 Warsaw Pact ワルシャワ条約機構。東欧8カ国友好協力相互援助条約 U.S.S.R. ソヴィエト社会主義共和国連邦(Union of Soviet Socialist Republics) **4** alternate with ... …と交替する cease to *do* ～することをやめる

86

Middle East　1973～74年

The Middle East and Petroleum

The Middle East was once a region of rugged terrain along parts of the Silk Road which tied Asia with Europe. It became less important with the arrival of large cargo ships and air transportation, but it remained **strategically** vital. First, the region remained a potential route for **invasion** to all of the countries surrounding it. Any construction of highways or railroads in the area would allow faster and larger access to other countries.

Second, countries around the world became interested in obtaining **steady** supplies of oil to power their economies, and an estimated 70 percent of the world's known oil **reserves** are in the Middle East, mainly in the Arabian Peninsula and around the Persian **Gulf**. Regions that were once known for their deserts suddenly in the 20th century became **immensely** rich. Saudi Arabia was the first to capitalize on its oil production, and was followed by Qatar, UAE, Bahrain, and Kuwait.

The political power of these nations became obvious in the oil crisis of 1973 to 1974 resulting from the Arab-Israeli War. The Organization of Petroleum Exporting Countries (OPEC) controlled the majority of the world's oil **exports**, and in 1973 its Arab members persuaded the organization to place an embargo on the supply of oil to nations supporting Israel. The **shortage** of oil that resulted **severely** disrupted production in the **industrialized** world—including Japan—and oil prices soared. In the decades that followed the **so-called** Oil Shock, the nations of the Middle East maintained political clout by controlling exports. (251)

中東と石油

かつて中東といえば、アジアとヨーロッパをつなぐ「シルクロード」の一部に沿って広がる、荒れた地域に過ぎなかった。大型商船と航空機の輸送が始まると、中東の重要性は下がってしまったが、**戦略的に見れば**、中東は不可欠な地域であり続けた。第一に、中東は、この地域の周囲にある国を**侵略**しようとするとき、常にその通り道となる可能性があった。また、この地に高速道路や鉄道を建設しようものなら、それは周辺諸国に対して、より早く、大規模なアクセスをもたらすことになるのである。

第二に、世界中の国々は、その経済の動力源として、石油の**安定的な**供給を得ることに関心を抱いている。実際、現在知られている石油**埋蔵量**の70%は中東、その中でもアラビア半島やペルシア**湾**沿岸に存在すると推定されている。かつて砂漠で知られていた地域は、20世紀に入ると突然、**大**金持ちとなってしまった。中でもサウジアラビアは、石油生産に資本を投入した初めての国家であり、これにカタール、アラブ首長国連邦（UAE）、バーレーン、クウェートが続いたのである。

これらの国々の政治的な権力は、中東戦争に端を発した、1973～74年の石油危機で明らかになった。石油輸出国機構（OPEC）は、世界の石油**輸出**の大半を押さえており、1973年、OPECに加盟しているアラブ諸国は、イスラエルを支持する国に対して石油輸出を禁じるようOPECを説得した。当時、石油**不足**のために、日本を含む**工業**国の生産は**ひどい**混乱に陥り、石油価格は高騰した。**いわゆる**「オイルショック」に続く数十年間、中東諸国は輸出量をコントロールすることで、政治的な影響力を維持したのであった。

タイトル petroleum 石油　1 rugged 荒れ果てた　terrain 地域　vital 極めて重要な、不可欠の　potential 可能性のある、潜在的な　allow ... to *do* …に～することを許す　2 be known for ... …で知られる　capitalize on ... …に資本を投入する、利用する　Qatar カタール。アラビア半島東部の首長国　UAE アラブ首長国連邦(United Arab Emirates)。ペルシア湾に面する7首長国で、アブダビやドバイなどからなる連邦国家　Bahrain バーレーン。ペルシア湾内のバーレーン島を中心に30以上の島からなる首長国で、1971年に英国より独立　Kuwait クウェート。アラビア北東部のペルシア湾に臨む首長国。元英国の保護領で1961年独立　3 result from ... …に由来する、…によって生じる　Arab-Israeli War 中東戦争。アラブ諸国とイエラエル間の戦争で、4回にわたって繰り返された　Organization of Petroleum Exporting Countries (OPEC) 石油輸出国機構。1960年結成　persuade ... to *do* …を説得して～させる　embargo 禁輸　disrupted 混乱した　soar 急上昇する　clout 影響力

87

Africa 1990年代

End of Apartheid in South Africa

While former colonies in Africa tried to form fully independent governments, the political process in South Africa was more **complex**. Black South Africans had begun organizing against white rule as early as 1912, when the African National Congress (ANC) was formed to achieve political reform.

By the 1950s, Afrikaners—white **descendants** of early Dutch **settlers**—had **strengthened** laws separating whites and blacks. This system of racial segregation known as "apartheid," meaning "apartness," reduced black Africans to **inferior** status. When blacks demonstrated against laws that kept them from sharing **public facilities** and transportation, they **were** brutally **suppressed**. At a peaceful march in Sharpeville in 1960, police shot and killed 69 people. When ANC leader Nelson Mandela was arrested in 1962, members of the ANC began to call for **armed resistance** against the white-led government.

In **horrible** conditions in a maximum-security prison on Robben Island, Mandela continued to call for a free and democratic society in South Africa. He was offered freedom in 1985—with certain conditions. He refused. Domestic pressure and international **sanctions** eventually forced the South African government to dismantle apartheid laws. Mandela **was released** from prison in 1990. Three years later, the government led by F.W. de Klerk agreed to hold democratic national elections—South Africa's first. Nelson Mandela—known respectfully as Madiba—was elected president. He served from 1994 to 1999. His **impact** was not limited to South Africa. **On the centennial of** his birth in 2018, former U.S. President Barack Obama **delivered a speech** in Mandela's home country saying how, as a student, he had been inspired by Madiba, half a world away. (266)

南アフリカの人種隔離（アパルトヘイト）政策の廃止

アフリカでかつて植民地だったところは、いずれも完全に独立した政治体制を作り上げようとしたが、南アフリカでの政治過程はさらに**複雑**だった。早くも1912年には、政治改革を目指すアフリカ民族会議（ANC）を結成することで、南アフリカの黒人たちは白人支配に対して組織的な抵抗を始めていた。

初期のオランダ人**入植者**の白人の**子孫**であるアフリカーナーたちは、1950年代までに白人と黒人を分離する法律**を強化していた**。「アパルトヘイト」の名で知られるこの人種隔離システムは、もともと「分離すること（apartness）」を意味し、目的はアフリカの黒人を白人より**下の**地位に落とすことだった。黒人と白人が**公共施設**や公共交通機関を共用することを禁じる法律に対して、黒人がデモを行うと、暴力を用いてでも**抑圧された**。1960年のシャープヴィルでの平和的デモ行進の際には、警官が発砲し、69人の死者を出した。ANCのリーダーのネルソン・マンデラが1962年に逮捕されたことで、ANCのメンバーは、白人主導の政権に対して**武力抵抗**を主張し始めていた。

ロベン島の重罪人刑務所の**劣悪な**状況で、マンデラは南アフリカの自由で民主的な社会を求め続けていた。彼は1985年に条件付きで釈放の申し出を受けたが、これを拒否した。国内の圧力と国際的な**制裁措置**によって、ついに南アフリカ政府はアパルトヘイト関連法の撤廃を余儀なくされ、1990年にマンデラは刑務所から**釈放された**。3年後、F・W・デクラークを首班とする政府は、南アフリカ史上初となる民主的な国政選挙の実施を約束したのである。そして「マディバ」の尊称で知られるネルソン・マンデラは、共和国大統領に選ばれた。彼は1994年から1999年まで職にあり、その**影響力**は南アフリカにとどまるものではなかった。2018年、彼の生誕**100年を記念して**、バラク・オバマ元米大統領はマンデラ生誕の地で**演説を行った**。その中でオバマは、学生時代の彼が、地球のほぼ反対側にいるマンデラによっていかに勇気づけられたかを語ったのである。

---

1 African National Congress (ANC) アフリカ民族会議　**2** Afrikaners アフリカーナー。南アフリカの公用語の一つアフリカーンス語(Afrikaans)を話す人のこと　segregation 隔離、分離　apartheid 人種隔離(アパルトヘイト)政策　brutally 容赦なく　Sharpeville シャープヴィル。南アフリカのハウテン州南部の町　Nelson Mandela ネルソン・マンデラ。南アフリカの黒人民族指導者・法律家　call for ... …を求める　**3** maximum-security prison 重犯罪刑務所　Robben Island ロベン島。南アフリカ南西部の島　dismantle …を廃止する　F. W. de Klerk F・W・デクラーク。南アフリカ大統領〈在任1989-94〉　Madiba マディバ。マンデラの尊称　Barack Obama バラク・オバマ。第44代米大統領〈在任2009-17〉

88

Europe 1945年～

Evolution of the European Union (EU)

World War II caused **extensive** damage to factories, housing, and transport systems throughout Europe. In the immediate post-war years, Europe **suffered from** a severe **shortage** of food and a large number of displaced people. One major **obstacle** to economic recovery was Western Europe's dependence on imports, especially from the U.S., but not having currency or exports to pay for them.

To speed up their recovery, the U.S. announced the Marshall Plan, which allowed European countries to import goods from the U.S. An important **side effect** of this plan was to revitalize **intra-**European trade, leading to increased integration of the European economies.

Cooperation between European nations continued through the establishment of the European Economic Community (EEC) in 1958. This **evolved into** the European Community (EC) and into the European Union (EU) in 1993. These organizations increased trade between member nations and protected their **manufacturers** from businesses in non-member countries.

To process **transactions** more easily, EU countries signed the Maastricht Treaty of 1992, which created a European currency. The **Euro** was introduced in 1999 for electronic transfers and as coins and **notes** in 2002. It became the sole currency of 12 member countries in that year, with other countries joining later.

Members of the EU have, for the most part, benefited from participation in this "Common Market." **Disagreements** regarding free **migration** of workers between member countries and pressure of immigration from non-EU countries, however, have weakened the EU. The decision of the U.K. to exit the EU is the latest, but most serious, **threat** to its viability. (255)

ヨーロッパ連合（EU）の発展

第二次世界大戦は、ヨーロッパ全体の工業、住宅、交通システムに**計り知れない**損害をもたらした。まず大戦直後には、ヨーロッパは厳しい食料**不足**と大量の難民**に苦しんだ**。経済復興の大きな**障害**になったことの一つに、西ヨーロッパが輸入品、とりわけアメリカからの輸入に依存していながら、その代価を支払うための通貨や輸出品を持っていないことがあった。

ヨーロッパの復興の速度を速めるために、アメリカはマーシャル・プランを発表し、この計画に基づいて、ヨーロッパ諸国はアメリカから物資を購入できるようになった。この計画の重要な**副次的効果**は、ヨーロッパ**内**の貿易が再活性化され、ヨーロッパ経済の統合が加速したことである。

ヨーロッパ諸国間の協力関係は、1958年のヨーロッパ経済共同体（EEC）の設立を通じて続いた。EECは、ヨーロッパ共同体（EC）、さらには1993年のヨーロッパ連合（EU）**へと発展した**。これらの組織によって、加盟国間の貿易は増大し、加盟国以外の国の企業からヨーロッパの**製造業**を保護していたのである。

取引をより円滑にするため、EU加盟国は1992年にマーストリヒト条約を締結し、ヨーロッパ共通通貨制度が創設された。共通通貨**ユーロ**は1999年に電子取引のために導入され、2002年には貨幣と**紙幣**が発行された。その年にユーロは加盟12カ国の単一通貨となり、その後、他国の加入が続いている。

EU加盟国の大部分は、この「共同市場」への参加によって利益を得ていた。しかしながら、加盟国間の労働者が自由に移動することについての**意見の相違**や、EU域外の国からEUへ**移民**が押し寄せたことで、EUのつながりが弱体化することになった。その中でごく最近起こったことに、イギリスのEUからの離脱決定がある。これは、EUの存続自体にとって深刻な**脅威**となっている。

タイトル evolution 進化、発展 **1** displaced people 難民、流民 **2** Marshall Plan マーシャル・プラン。ジョージ・マーシャル米国国務長官〈在任1947-49〉によって提唱されたヨーロッパ経済復興援助計画 revitalize …を再活性化する integration 統合、統一 **3** European Economic Community (EEC) ヨーロッパ経済共同体。仏や西独などを中心に結成 European Community (EC) ヨーロッパ共同体。1967年にEECなどを構成していた6カ国で発足。73年に英、デンマーク、アイルランドが加盟し「拡大EC」に。その後も新規加盟が続いた European Union (EU) ヨーロッパ連合 **4** electronic transfers 電子商取引 **5** benefit from ... …から利益を得る viability 存続可能性

89

Middle East 1979～2009年

The Afghanistan War, The Gulf War, and the Invasion of Iraq

The Middle East has long been a **battlefield** between local forces and **superpowers** with **strategic** interests in petroleum. During one period of East-West confrontation, the Soviet Union tried to restore a **pro-**Soviet regime in Afghanistan. When the Soviets invaded Afghanistan in 1979, the U.S. sent military aid to the Afghan **rebels**. With outside support, anti-communist Islamic forces ousted the Soviets a decade later.

When the Soviets left, the Islamic groups fought among themselves for control of the country. By 1998, one group, the Taliban, controlled more than two-thirds of the country. The Taliban provided a base of operations for a group called al-Qaeda, led by Osama bin Laden, who organized the September 11, 2001, attack on the U.S.

In 1980 Iraq **launched** an attack on Iran that lasted until the two countries signed a cease-fire in 1988. In 1990, Iraq's leader Saddam Hussein sent Iraqi troops to invade Kuwait, an oil-rich country on the Persian Gulf. In the Gulf War that followed, the U.S. led an international military force that freed Kuwait and pushed Hussein's forces back into Iraq.

In 2002, U.S. President George W. Bush **threatened** to remove Hussein from power. **Claiming** that Iraq had **amassed** weapons of **mass destruction** and that Hussein had close ties to al-Qaeda, the U.S. invaded Iraq, defeating the Iraqi army and capturing Hussein. However, no weapons of mass destruction were found. Rebuilding Iraq was extremely difficult, and **Islamic militants** and foreign terrorists remained active in Iraq and outside the country. International **combat** troops withdrew in 2009, leaving the country in turmoil. (258)

アフガン戦争、湾岸戦争とイラクへの侵攻

長年にわたって中東は、地方軍閥と、石油に**戦略的な**関心を寄せる**超大国**の間の**戦場**だった。東西両陣営の対立の時代、ソヴィエト連邦は**親**ソヴィエト政権をアフガニスタンの地で復活させようとした。1979年、ソ連がアフガニスタンに侵攻したとき、アメリカは、アフガニスタン**反体制派**に対して軍事援助を行った。そして10年後、外国からの支援もあり、反共イスラーム勢力はソ連を一掃してしまったのである。

ソ連がアフガンから去ったあと、イスラーム諸集団は国の支配をめぐって争っていた。その中で、1998年までに「ターリバーン」というグループが国土の3分の2以上を支配していたのである。ターリバーンは、ウサマ・ビン・ラーディンによって指導された「アル・カーイダ」と称する集団に作戦基地を提供していた。ビン・ラーディンは、2001年9月11日のアメリカへのテロ攻撃を首謀した人物である。

1980年には、イラクはイラン攻撃**を開始し**、この攻撃は1988年に両国が休戦協定に調印するまで続いた。1990年に入ると、イラクの指導者サダム・フセインは、ペルシア湾岸で豊かな原油埋蔵を誇るクウェートを侵略する目的で、イラク軍を派兵したのだった。これが湾岸戦争に発展し、アメリカは国際的な軍事組織を指導してクウェート解放を実現し、フセインの軍をイラクに引き戻したのであった。

2002年に入ると、ジョージ・W・ブッシュ米大統領はフセインに対し、権力の座から引き下ろすと**威嚇した**。アメリカは、イラクが**大量破壊**兵器**を集めており**、フセインがアル・カーイダと親密な関係にある**と主張する**ことによってイラク国内に侵入し、イラク軍を破ってフセインを捕縛したのである。ところが、大量破壊兵器はまったく発見されず、イラクの再建は極めて困難になってしまった。そして、**イスラーム過激派**と外国のテロリストたちは、いずれもイラク内外で活動を続けた。その後、国際的な**戦闘**部隊は2009年にはイラクから撤退してしまい、イラク国内は混乱状態のまま残されることとなった。

---

1 petroleum 石油　confrontation 対立　restore …を復活させる　oust …を追放する **2** Taliban ターリバーン。アフガニスタンのイスラーム原理主義武装勢力　al-Qaeda アル・カーイダ。ウサマ・ビン・ラーディンが1990年頃に作った国際テロ組織　Osama bin Laden ウサマ・ビン・ラーディン〈1957-2011〉。反米を標榜した国際テロリズム支援組織アル・カーイダの指導者 **3** cease-fire 停戦、休戦　Saddam Hussain サダム・フセイン。イラクの政治家、大統領〈在任1979-2003〉　free …を自由にする、解放する。freedは過去・過去分詞形 **4** George W. Bush ジョージ・W・ブッシュ。第43代米大統領〈在任2001-09〉　capture …を捕える　withdraw 撤退する　turmoil 動揺、混乱

90

2000年〜

The Great Pacific Garbage Patch

In the 21st century, people focused **increasingly** on the global environment, from climate change to declining fresh water supplies. One focus was dealing with a gyre in the **Pacific**.

Plastics are inexpensive, lightweight, adaptable, and widespread in the global economy. Only 14% of plastic packaging is recycled after it is used. Most ends up in the environment with a **portion** in the oceans. Three-fifths of this plastic is less **dense** than seawater, so it is transported by **currents** and wind, ending up on coastlines or floating in the seas.

The Great Pacific Garbage Patch, between Hawaii and California, **illustrates** the problem of plastic in the waters of the world. Using data from aircraft and **vessel** surveys, this floating junkyard covers some 1.6 million **square kilometers**. It is composed of some 79,000 tons of non-biodegradable plastic. Portions originated in the Great East Japan Earthquake and tsunami disaster, but the majority consists of consumer products such as plastic bags, bottles, and fishing nets. This great whorl circles in the waters north of Hawaii. It is not within any country's EEZ, so it is technically not the sole responsibility of any country, but it **affects** the entire world.

This whorl is the focal point of an even larger danger. Scientists estimate that by the year 2050, there could be more plastic in the ocean than there is fish by weight. Small pieces of plastic end up in the food chain. Fish and sea mammals ingest bits of plastic and it **eventually** kills them, impacting human food supplies. (254)

「太平洋ゴミベルト」問題

21世紀に入ると、人々の関心は**次第に**地球環境に集まった。それは、気候変動から飲料水供給の減少にまで及び、問題の一つに、**太平洋**におけるゴミの旋回問題がある。

プラスチックは安価であり、軽量で、変形可能である。そのため、世界経済の中でプラスチックは広範に拡大していった。だが、プラスチック製包装材のわずか14%しか、使用後にリサイクルされていない。したがって、ほとんどは海洋の**一部分**として、地球環境に返っていくのである。プラスチック材の5分の3は海水よりも**密度**が小さいので、これらは**海流**や風によって流され、結局は海岸に漂着するか、海に浮かぶことになる。

「太平洋ゴミベルト」(太平洋における投棄ゴミ)は、ハワイからカリフォルニアにまで広がっており、世界の水域におけるプラスチック問題**を象徴的に示している**。航空機や**船舶**によるデータを用いるなら、浮遊する「廃棄物集積場」は、約160万**平方キロメートル**を占める。これらの廃棄物は、7万9,000トンに上る、生分解不可能なプラスチックからできているのである。その一部は、東日本大地震とそれに伴う津波災害に起因しているが、大半はプラスチック製の袋やボトル、漁網といった消費物で占められている。このゴミの渦はハワイ北方の水域で回転しており、いずれの国の排他的経済水域(EEZ)にも含まれない。そのため法律上は、一国の責任に帰することはできないのだが、実際には世界全体**に影響を与えている**のである。

このゴミの渦は、さらに大きな危険を示している。2050年までに海洋のプラスチックの重量は、魚類の総重量を上回ると科学者が推計しているのである。プラスチックの小片は、食物連鎖の中に入り込む。そのため、魚類と海洋哺乳類は少量のプラスチックを摂取することになり、**最終的には**それが原因で死んでしまう。これは、人類への食料供給にも大きな影響を与えることになるだろう。

---

1 gyre 旋回。旋転　**2** adaptable 改変できる、順応性のある　end up in ... 結局…になる、…に至る　**3** Great Pacific Garbage Patch 太平洋ゴミベルト。北太平洋の中央にかけての海洋ゴミが多い海域　junkyard 廃棄物集積場、ゴミだめ　be composed of ... …から成り立つ　non-biodegradable 非生物分解の、微生物等で分解することのできない　whorl 渦巻き(状のもの)　EEZ (水産、鉱物資源などの)排他的経済水域、Exclusive Economic Zoneの略　technically 専門的には、厳密に言えば、法律上は　**4** focal point 中心点、焦点　food chain 食物連鎖、一般に小さな生物は、より大きなものに順次食われるという生物食性の連環　mammal 哺乳類　ingest …を摂取・摂食する

Chronology of World History
世界史年表

(Ca. = circa「〜頃」、B.C. = Before Christ「紀元前」、A.D. = Anno Domini「紀元後」)

		Japanese History 日本史
60,000 B.C.-30,000 B.C.	Aboriginal people arrive in Australia オーストラリアにアボリジニが到達	Paleolithic period 旧石器時代
3,000 B.C.	Aegean civilization flourishes in Europe ヨーロッパでエーゲ文明が栄える	Jomon period 縄文時代
2,700 B.C.-1,070 B.C.	Egypt becomes a unified kingdom under the pharoahs エジプトにファラオのもと、統一国家が誕生	
2,600 B.C.-1,800 B.C.	Indus Valley Civilization flourishes インダス文明が繁栄	
2,000 B.C.	First Babylonian Empire established; flourishes under King Hammurabi バビロン第一王朝成立、ハンムラビ王のもと栄える	
Ca. 1,600 B.C.	Shang civilization emerges in north China forming first dynasty 中国最古の王朝、殷(商)が北部に築かれる	
770 B.C.-221 B.C.	Spring and Autumn period, Warring States period in China 中国、春秋・戦国時代	
750 B.C.-338 B.C.	Greek city-states flourish until defeat by Macedonia ギリシア都市国家の興隆〜マケドニアに屈服	
550 B.C.-330 B.C.	Achaemenid dynasty in Persia controls the East アケメネス朝ペルシアがオリエントを支配	
Ca. 500 B.C.-100 B.C.	Buddhism evolves in India and spreads to China インドで仏教が成立、中国へ伝来	
334 B.C.	Alexander the Great begins conquest of the East, conquering the Persian Empire and spreading Greek culture アレクサンドロス大王の東方遠征、ペルシャ帝国の支配。ギリシャ文化が広まる	Yayoi period 弥生時代
317 B.C.-186 B.C.	Mauryan dynasty rules India インド、マウリヤ朝成立	

264 B.C.-146 B.C.	Punic Wars and the defeat of Carthage ポエニ戦争でローマがカルタゴを滅ぼす
206 B.C.-220 A.D.	Establishment of the Han dynasty in China 中国、漢王朝の成立
Ca. 200 B.C.	Rise of the Roman Empire ローマ帝国の繁栄
100 B.C.-300 A.D.	Development of Koguryo, Paekche, and Silla in Korean peninsula 朝鮮半島に高句麗、百済・新羅の勃興
31 B.C.	Rome controls the Mediterranean; Octavian becomes Emperor Augustus ローマが地中海を支配、のちにオクタウィアヌスが皇帝アウグストゥスになる
100 A.D.	Establishment of the Kushan monarchy クシャーナ朝の成立
220-280	Three Kingdoms period in China, including Wei, Wu, and Shu 魏・呉・蜀三国時代
226	Sassanid dynasty established in Iran begins to gain control of Central Asia イランにササン朝ペルシアが建国。中央アジアを支配する
235-330	End of Pax Romana 「ローマによる平和」(パックス・ロマーナ)の終焉
Ca. 300	Beginning of the rise of Mayan Culture マヤ文明の繁栄
376	Major migrations of Germanic peoples ゲルマン民族の大移動開始
395	Division of the Roman Empire into East and West ローマ帝国東西分裂
400s	Hinduism flourishes in the Indus Valley インドでヒンドゥー教隆盛
476	Collapse of the Western Roman Empire 西ローマ帝国滅亡
481	Accession of the first Frankish king, Clovis I フランク王国の建国、クローヴィスが即位

Yamatai kingdom; Kofun period
邪馬台国／古墳時代

- Ca. 3C Queen Himiko of Yamatai sends envoy to Wei China
  邪馬台国女王卑弥呼、魏に遣使
- Ca. 4C Unification of Yamato court
  ヤマト政権の統一進む

Asuka period
飛鳥時代

- Buddhism introduced to Japan
  仏教伝来

618	China unified under the Tang dynasty (618-907); trade on the Silk Road flourishes 中国に唐王朝誕生、シルク・ロード交易を支配(～ 907)	・593 Prince Shotoku Taishi becomes regent 厩戸皇子摂政に ・607 Ono no Imoko appointed leader of embassy to Sui China 小野妹子が隋へ渡る ・630 First embassy to Tang China 第一回遣唐使の派遣
622	Prophet Muhammad arrives in Medina and converts many to Islam before his death in 632; beginning of Islamic period ムハンマドがメディナに到達、多くの人々をイスラーム教に帰依させる。イスラーム暦紀元元年	
661	Umayyad caliphate is established ウマイヤ朝が成立	
668	Silla unifies Korea 新羅朝鮮半島統一	**Nara period** **奈良時代** ・754 Ganjin arrives in Japan 鑑真来日
751	Carolingian monarchy founded; Battle of Talas River; technoloby of paper-making reaches Europe フランク王国、カロリング朝が成立／カザフスタン南部にてタラス河畔の戦い／製紙法西伝	
800s	Vikings become active in the Scandinavian region (late 700s to 1000s) スカンジナビアでヴァイキングの活動が活発化(～ 1000年代)	**Heian period** **平安時代** ・794 Capital moved to Heiankyo (Kyoto) 平安京遷都
800	Charlemagne, Charles the Great, is enthroned as emperor フランク王・カール大帝(シャルルマーニュ)の戴冠	
Ca. 802	Khmer Empire is founded in Southeast Asia; Angkor Wat is constructed インドシナ半島にクメール国(アンコール朝)建国	
843	Treaty of Verdun divides Frankish kingdoms into three parts, forming predecessors of France, Germany and Italy フランク王国が三分され、後のフランス、ドイツ、イタリアの起源に(ヴェルダン条約、メルセン条約)	
882	Principality of Kiev, first eastern slavic state, seized by the Viking Oleg and made capital of Kievan Rus キエフ公国誕生。ヴァイキングのオレーグのもと成立した初の東スラヴの国家となる	
962	Establishment of the Holy Roman Empire 神聖ローマ帝国成立	

987	Capetian dynasty forms in western Frankish kingdoms 西フランク王国にカペー朝成立	・996 Part of Sei Shonagon's *Makura no soshi* is in circulation 清少納言の『枕草子』のいくつかの部が回覧される
1000s	Islam spreads into northern India イスラム教、インド北部に伝播	
1038	Rise and fall of the Turkic Islamic Seljuk monarchy (1038-1194) トルコ系イスラーム王朝のセルジューク朝が成立（～1194）	
1066	Norman Conquest and unification of Britain ノルマン・コンクェストによるイングランド王国統一	・1160 Influence of Taira family over imperial court established 平清盛太政大臣に。平家が朝廷の実権を握る
1095	Beginning of Crusades (1095-1272) by the West to retake the Holy Land from the Muslims, in religion-driven military campaigns 西ヨーロッパ、聖地イェルサレムをイスラーム教徒から奪回するため十字軍遠征	・1185 Taira overthrown 平氏滅亡
1198	Innocent III becomes pope (1198-1216) ローマ教皇インノケンティウス3世が即位（～1216）	**Kamakura Period** **鎌倉時代**
Ca. 1200	Kingdom of Mali is established in West Africa 西アフリカにマリ王国が建国される	・1192 Minamoto Yoritomo appointed shogun 源頼朝征夷大将軍に
1200s	Beginning of great expansion of the Inca Empire インカ帝国の成立	
1215	Magna Carta issued, under duress, by King John of England; beginning of the English Parliament ジョン王の承認によってマグナ・カルタが制定される。英国議会の誕生	
Ca. 1300	Osman I founds Ottoman state トルコでオスマン帝国成立	・1274・1281 Mongol invasions of Japan 蒙古襲来
1347	The Black Death reaches Europe and spreads rapidly ヨーロッパで黒死病（ペスト）が蔓延し始める	
1300s-1500s	Medieval European universities established at Bologna, Paris, Oxford ボローニャ、パリ、オックスフォードなどに大学が創設される	

1300-1600	Renaissance develops and spreads throughout Europe ヨーロッパでルネサンスが起こる	**Muromachi period** **室町時代** ・1338 Ashikaga Takauji is granted title of shogun 足利尊氏征夷大将軍に
1339	Hundred Years War (1339-1453) between England and France begins 英仏百年戦争(～ 1453)	
1351	Founding of the kingdom of Ayutthaya in Thailand タイ、アユタヤ朝成立	
1368	Zhu Yuanzhang founds the Ming dynasty (1368-1644) 明朝が朱元璋により建国(～ 1644)	
1370	Founding of the Timur dynasty in Central Asia 中央アジアにティムール朝成立	
1392	Yi Song-gye declares himself king of Korea, founds the Yi dynasty (1392-1910) 李成桂を国王として李氏朝鮮建国(～ 1910)	
1400s	Medici build the city-state of Florence メディチ家によるフィレンツェの支配	
	Aztec empire is founded アステカ王国の成立	
1406	Construction of the Forbidden City begins 紫禁城の造営が開始	
Ca. 1450	Gutenberg invents the printing press グーテンベルク、活版印刷を発明	
1452	Birth of Leonardo da Vinci レオナルド・ダ・ヴィンチ(～ 1519)誕生	
1453	The Ottoman Empire occupies Constantinople, end of the Eastern Roman Empire オスマン帝国がコンスタンティノープルを占領、東ローマ帝国の滅亡	
1455	War of the Roses (1455-1485) begins バラ戦争開始(～ 1485)	
1480	Grand Principality of Muscovy gains independence from Mongol control モスクワ大公国、モンゴルの支配から独立	・1467 Onin War. Beginning of the Sengoku period 応仁の乱（1467 ～ 1477)、戦国時代
1485	Beginning of Tudor dynasty in Britain 英国、テューダー朝はじまる	

1492	Columbus discovers the New World コロンブスによる新大陸の発見
	Spanish Reconquista completely drives Muslim Moors from the Iberian Peninsula スペイン人によるレコンキスタが完了
1498	Vasco da Gama, completes voyage around the Cape of Good Hope, reaching Calicut in India ヴァスコ・ダ・ガマ、喜望峰を回航しインドのカリカットに到達
1494	The Treaty of Tordesillas divides new lands between Portugal and Spain トルデシリャス条約締結によりポルトガルとスペインの支配領域が分断
1500s	Portugual colonizes Brazil ポルトガルによるブラジル植民地建設
	Development of the slave trade from Africa アフリカ人の奴隷貿易の発達
1501	Safvid shahs begin to rule Iran イランにサファヴィー朝成立
1517	Protestant Reformation begins with Martin Luther's *Ninety-five Theses* on the church door at Wittenberg 宗教改革の開始。マルティン・ルターの『95カ条の論題』がヴィッテンベルクの教会の扉に貼り出される
1519	Magellan begins first circumnavigation of the world マゼラン、世界周航の旅に出る
1526	The Mughal Empire (1526-1858) rules the Indus Valley インド、ムガル帝国建国(～1858)
1529	First Ottoman Turk siege of Vienna オスマン帝国による第一次ウィーン包囲
1531-1533	Inca Empire partially conquered by Pizzaro インカ帝国がピサロにより征服される
1534	Establishment of the Church of England 英国国教会成立
1545	General Council of Trent (1545-1563) pronouncements lead to Counter-Reformation トリエント公会議(～1563)開催、反宗教改革につながる

1547	Evolution of the Grand Dukes of Muscovy leads to Ivan IV becoming first tsar (emperor) of Russia モスクワ大公国、イヴァン(4世)がツァーリとして戴冠	
Ca. 1555	Portugal establishes settlement at Macau (Macao) ポルトガル、マカオに居住権獲得	
1556	English colonization of Ireland (1556-1625) イングランドによるアイルランド植民地化(～1625)	
1562	Wars of Religion begin in France (1562-1598) フランスでユグノー戦争勃発(～1598)	
1581	The Netherlands become independent オランダ独立宣言	
1588	Defeat of the Spanish Armada スペイン無敵艦隊の敗北	**Azuchi Momoyama period** **安土桃山時代** ・1582 Honnoji Incident 本能寺の変 ・1600 Battle of Sekigahara 関ケ原の戦い
1589	Bourbon monarchy begins in France フランス、ブルボン王朝始まる	
1600s	Copernicus, Kepler and Galileo present astronomical theories that challenge Catholic Church doctrines コペルニクス、ケプラー、ガリレオらが天文学の理論を提唱。カトリック教会の教義に挑む	
	Three East India Companies established: British (1600), Dutch (1602), and French (1664) イギリス、オランダ、フランスに「東インド会社」が設立される	Edo period 江戸時代 ・1603 Tokugawa Ieyasu is granted title of shogun 徳川家康征夷大将軍に
	Britain establishes colonies in America; Spain establishes colonies in Central and South America イギリス、アメリカを植民地化／スペイン、中央・南アメリカを植民地化	
1607	English settlement established in North America at Jamestown, Virginia 北アメリカのヴァージニアがイギリスにより植民地化	
1613	Romanovs begin three-century rule (1613-1917) of Russia ロシアにロマノフ朝成立、その後3世紀続く	・1613 Hasekura Tsunenaga reaches Europe 支倉常長訪欧
1618	Thirty Years' War (1618-1648) between Catholic and Protestant European powers 三十年戦争が勃発、ヨーロッパでカトリックとプロテスタントが対立(～1648)	

1620	Mayflower reaches North America at Plymouth メイフラワー号、プリマスに到着	・1637 Shimabara Rebellion 島原の乱
1624-1662	The Netherlands occupy Taiwan オランダ、台湾占領	
1643	Louis XIV, the Sun King, ascends the throne of France フランスにてルイ14世が即位	・1639 Portuguese ships banned from entering Japan ポルトガル船の来航が禁止に
1644	Manchus establish the Qing dynasty (1644-1912) in China 中国、清朝成立	・1641 Dutch trading firm established at Dejima オランダ商館を出島へ
1649	Summoning of Parliament in 1640 triggers events that limit monarch's powers; in 1649 England in proclaimed a repulbic 英国、長期議会(1640)をきっかけに王権が制限され始める。共和制の時代へ	
1683	Second siege of Vienna by the Ottoman Turks オスマン帝国による第二次ウィーン包囲	
1697	Hispaniola in the Caribbean Sea is divided between French Haiti in the west half and Spanish Dominica in the east half カリブ海上の島・イスパニョーラが、西側のフランス領ハイチと、東側のスペイン領ドミニカ共和国に分割	
1700s	Enlightenment ideas spread across Europe ヨーロッパで啓蒙思想が広まる	
1701	Eastern Germany becomes Prussia ドイツ東部にプロイセン王国成立	
1707	Establishment of Great Britain 大ブリテン王国成立	
1740	Frederick the Great becomes king of Prussia, Maria Theresa becomes Empress of Austria プロイセン王国フリードリヒ大王即位、オーストリア大公にマリア・テレジア即位	・1716 Kyoho Reforms 享保の改革
Ca. 1744	Wahhabi movement begins to establish itself in Saudi Arabia サウジアラビアにワッハーブ王国が成立	
1756	Beginning of the French-Indian War フレンチ・インディアン戦争	

1769	Captain James Cook explores New Zealand and Australian coasts; First British colony in Australia founded in 1788 ニュージーランド、オーストラリアをキャプテン・クックが探索。1788年オーストラリアは最初の英国植民地に
1700s	The Industrial Revolution in Britain and Europe イギリスで産業革命がおこる(～ 1800年代)
1776	Continental Congress issues the U.S. Declaration of Independence; American Revolution (1776-1783) アメリカ、大陸会議で独立宣言が採択される。独立革命(～ 1783)
1789	French Revolution begins フランス革命始まる
1800s	Nationalist revolutions across Europe ヨーロッパでナショナリズムの動きが高まる
1803	U.S. concludes Louisiana Purchase from Napoleon アメリカ、フランスのルイジアナを買収
1804	Napoleon Bonaparte crowns himself emperor of France フランス、ナポレオン即位(第一帝政)
1806	Collapse of the Holy Roman Empire 神聖ローマ帝国消滅
1810	Unification of the Hawaiian Islands ハワイ諸島が統一される
1817	Simon Bolivar begins campaigns for the liberation of South America from Spanish rule シモン・ボリバルが、スペイン支配下の南アメリカ解放運動を始める
1814	Congress of Vienna (1814-1815) ウィーン会議(～ 1815)
1825	Decembrist Revolt in Russia ロシア、デカブリストの乱
1839	Opium War begins In China (1839-1842); and the "Scramble for Concessions" 中国でアヘン戦争開始(～ 1842)、租界の争奪戦
1848	Marx and Engels publish *The Communist Manifesto* マルクスとエンゲルスによる『共産党宣言』の刊行

- 1774 Sugita Gempaku publishes *Kaitai shinsho*
  杉田玄白が『解体新書』を出版
- 1782 Temmei Famine begins
  天明の飢饉始まる
- 1792 Adam Laksman arrives at Nemuro
  ラクスマン根室来航
- 1853 Commodore Matthew Perry vists Japan
  ペリー来航
- 1854 Treaty of Peace and Amity between the United States and the Empire of Japan is signed
  日米和親条約締結

1852	Second Empire in France (1852-1870) フランス、第二帝政に(～ 1870)	
1853	Beginning of the Crimean War クリミア戦争始まる	・1858 Harris Treaty signed between Townsend Harris and the shogunate 日米修好通商条約締結
1856	The Seven Years War (1856-1863) 七年戦争(～ 1863)	
1861	Abolition of serfdom in Russia; unification of kingdom of Italy ロシア、農奴解放令／イタリア王国の成立	・1860 Sakuradamongai Incident (Assassination of Ii Naosuke) 桜田門外の変（井伊直弼の暗殺）
1861	Civil War begins in the United States (1861-1865) アメリカ南北戦争(～ 1865)	
1869	Opening of the Suez Canal; Opening of the Trancontinental Railway in the U.S. スエズ運河開通／アメリカ大陸横断鉄道開通	**Meiji period** **明治時代** ・1868 Meiji Restoration 明治維新
1871	Germany is united ドイツ帝国成立	
1880	Beginning of first of two Boer Wars in South Africa 南アフリカで第一次ボーア戦争始まる	
1882	Triple Alliance between Germany, Austria, and Italy against France ドイツ・オーストリア・イタリア三国同盟締結	
1884	Berlin Conference and the Scramble for Africa (1884-1885) ベルリン会議(～ 1885)、アフリカの分割	
1883	Sino-French War (1883-1885) begins; China recognizes Vietnam as a protectorate of France in 1885 清仏戦争の勃発。清は宗主権を放棄し、ベトナムがフランスの保護領に(1885)	
1885	Indian Independence Movement (1885-1947) continues and leads to the establishment of the National Congress インド独立運動の始まり。1947年に独立、国民議会が設置される	
1900s	South Pole Explorations 探検家が南極に到達	・1894 Sino-Japanese War 日清戦争
1901	Creation of the independent Commonwealth of Australia 英自治領、オーストラリア連邦の誕生	・1904 Russo-Japanese War 日露戦争

1912	Founding of the Republic of China 中華民国の建国	**Taisho period** **大正時代**
1914	Completion of the Panama Canal パナマ運河の完成	· 1923 Great Kanto Earthquake 関東大震災
1914	Archduke Franz Ferdinand is assassinated at Sarajevo; World War I (1914-1918) begins サライェヴォでオーストリア帝国の皇位継承者、フランツ=フェルディナントが暗殺される。第一次世界大戦開始(～ 1918)	
1917	October Revolution in Russia ロシア、十月革命	
1919	May 4th Revolution leads to Chinese Kuomintang (Nationalist Party) formation 北京で五·四運動、中国国民党結成	
1920	Establishment of the League of Nations 国際連盟成立	
1921	Establishment of the Chinese Communist Party 中国共産党成立	**Showa period** **昭和時代**
1923	Uprising of Turkish nationalist army offices nicknamed "Young Turks" leads to an independent Turkish Republic 青年トルコ革命、トルコ革命を経てトルコ共和国成立	
1929	U.S. stock market crashes; prolonged Great Depression begins アメリカで株価が大暴落、世界大恐慌始まる	
1932	Establishment of Saudi Arabia and Iraq サウジアラビア王国、イラク王国独立	· 1932 Establishment of Manchukuo 満州国建国
1937	The Second Sino-Japanese War begins (1937-1945) 日中戦争始まる(～ 1945)	· 1933 Japan withdraws from League of Nations 国際連盟脱退
1939	Germany invades Poland; World War II (1939-1945) begins in Europe ドイツ軍がポーランドに侵攻、第二次世界大戦がヨーロッパで始まる	· 1936 February 26th Incident 二・二六事件
1940s	Independence of the Philippines, Pakistan, Burma, Sri Lanka and other Asian countries フィリピン、パキスタン、ビルマ、スリランカなどアジア諸国の独立	· 1937 Sino-Japanese War commences 日中戦争
1945	Prolonged Cold War (1945-1990) begins 冷戦の開始(～ 1990)	

1945	Establishment of the United Nations; Evolution of the European Union (EU) 国際連合成立／ヨーロッパ連合(EU)の設立	・1941-45 Pacific War 太平洋戦争 ・1946 Constitution of Japan promulgated 日本国憲法公布
1948	Establishment of Israel and Conflict with Palestinians; Republic of Korea is established in the southern part of the Korean peninsula and the Democratic People's Republic of Korea is established in the north イスラエル建国とパレスチナ人との紛争／朝鮮半島の南に大韓民国・北に朝鮮民主主義人民共和国成立	
1950s	Beginning of two decades of African independence movements アフリカ、20年続く独立運動の開始	
1950	Korean War begins (1950-1953) 朝鮮戦争(～1953)	
1953	Cuban Revolution (1953-1959) and Cuban Missile Crisis キューバ革命(～1959)／キューバ危機(1962)	
1960	Beginning of Vietnam War (1960-1975) ベトナム戦争開始(～1975)	
1961	Organization for Economic Cooperation and Development (OECD) is organized; Japan joins in 1964; Yuri Gagarin, a Soviet cosmonaut, becomes first human in space OECD(経済協力開発機構)発足、日本は64年に参加／ソ連の宇宙飛行士ユーリ・ガガーリンが人類で初めて宇宙に到達	
1966	Cultural Revolution spreads across China 中国で文化大革命が始まる	
1968	Oil deposits discovered at Prudhoe Bay in Alaska アラスカのプルドー湾で大油田が発見される	
1970	Nuclear Nonproliferation Treaty enters into force 核拡散防止条約発効	
1973	Fourth Arab-Israeli war triggers the oil crisis 第四次中東戦争、石油危機を引き起こす	・1972 Okinawa returned to Japanese sovereignty 沖縄返還
1975	North Vietnam achieves unification of Vietnam ベトナム、北による南北統一	

1979	Peace treaty signed between Egypt and Israel; followed by the Afghanistan War, the Gulf War, and the invasion of Iraq in the Middle East エジプト・イスラエル平和条約調印／アフガン戦争、湾岸戦争とイラクへの侵攻	
1989	Berlin Wall is demolished and in 1990 Germany is reunified ベルリンの壁崩壊、1990年に東西ドイツ統一	**Heisei period** **平成時代**
1990	End of apartheid in South Africa and release of Nelson Mandela from prison; Mandela becomes President of South Africa in 1994 南アフリカの人種隔離(アパルトヘイト) 終結、ネルソン・マンデラの釈放。1994年マンデラは南アフリカ初の黒人大統領となる	
1991	Soviet Union is dissolved; Yugoslavia breaks apart ソ連崩壊／ユーゴスラビア解体	・1995 Hanshin Awaji Earthquake Disaster 阪神・淡路大震災
1997	Hong Kong returned to China 香港、中国に返還	
1993	Establishment of the EU EU発足	
1999	Creation of the euro (1999) for electronic transfer and as notes and coins (2002) 単一通貨ユーロ導入、2002年より流通開始	
2000	The Great Pacific Garbage Patch becomes a focus of environmental concerns 「太平洋ゴミベルト」問題が深刻に	・2011 Great East Japan Earthquake Disaster, Fukushima Nuclear Accident 東日本大震災／福島原発事故
2010	The Arab Spring アラブの春	
2020	The United Kingdom leaves the EU 英国のEU離脱	**Reiwa period** **令和時代**

Index
索引

C

D

E

I

J

K

L

U

V

W

X

Y

Z

著者紹介

ジェームス・M・バーダマン　James M. Vardaman

1947年、アメリカ・テネシー州生まれ。プリンストン神学校、修士、ハワイ大学アジア研究専攻、修士。早稲田大学名誉教授。著書に『シンプルな英語で話す日本史』『シンプルな英語で話すアメリカ史』(ジャパンタイムズ出版)、『地図で読むアメリカ』(朝日新聞出版)、『アメリカの小学生が学ぶ歴史教科書』(共著／ジャパンブック)、『アメリカ南部』(講談社現代新書)、『アメリカ黒人の歴史』(NHK出版)、『黒人差別とアメリカ公民権運動』(集英社新書)、『毎日の英文法』『毎日の英単語』(朝日新聞出版)、『英語の処方箋』(ちくま新書)ほか。

松園　伸　Shin Matsuzono

1960年大阪府生まれ。1983年早稲田大学政治経済学部政治学科卒業。1990年英国リーズ大学大学院修了、PhD取得。英国王立歴史学会正会員(FRHistS)。早稲田大学文学学術院(西洋史学)教授。近現代イギリス政治史専攻。主著に『イギリス議会政治の形成：「最初の政党時代」を中心に』『産業社会の発展と議会政治：18世紀イギリス史』(早稲田大学出版部)など。

シンプルな英語で話す世界史

2020年 5月 5日　初版発行
2024年 9月20日　第2刷発行

著　者　ジェームス·M·バーダマン／松園 伸

発行者　伊藤秀樹

発行所　株式会社 ジャパンタイムズ出版
〒102-0082 東京都千代田区一番町2-2　一番町第二TGビル2F
ウェブサイト　https://jtpublishing.co.jp/

印刷所　中央精版印刷株式会社

本書の内容に関するお問い合わせは、上記ウェブサイトまたは郵送でお受けいたします。
定価はカバーに表示してあります。
万一、乱丁落丁のある場合は、送料当社負担でお取り替えいたします。
(株)ジャパンタイムズ出版・出版営業部あてにお送りください。

Printed in Japan　ISBN978-4-7890-1759-6